ЭРИХ ФРОММ

ИСКУССТВО ЛЮБИТЬ

ИЗДАТЕЛЬСТВО АСТ
МОСКВА

УДК 159.9
ББК 88.6
Ф91

Серия «Эксклюзивная классика»

Erich Fromm
THE ART OF LOVING

Перевод с английского А.В. Александровой

Серийное оформление Е. Ферез

Печатается с разрешения издательства
HarperCollins Publishers
и литературного агентства Andrew Nurnberg.

Фромм, Эрих.

Ф91 Искусство любить / Эрих Фромм ; [пер. с англ. А.В. Александровой]. — Москва : Издательство АСТ, 2016. — 221, [3] с. — (Эксклюзивная классика).

ISBN 978-5-17-084593-4

Одна из самых известных работ Эриха Фромма — «Искусство любить» — посвящена непростым психологическим аспектам возникновения и сохранения человеком такого, казалось бы, простого чувства, как любовь.

Действительно ли любовь — искусство? Если да, то она требует труда и знаний. Или это только приятное ощущение?..

Для большинства проблема любви — это прежде всего проблема того, как быть любимым, а не того, как любить самому...

УДК 159.9
ББК 88.6

Предисловие

Чтение этой книги принесет разочарование тем, кто рассчитывает найти в ней практические рекомендации по искусству любви. Напротив, цель данной книги — показать, что любовь — это не чувство, легкодоступное любому человеку независимо от степени его зрелости. Автор стремится убедить читателя в том, что любые попытки любить обречены на провал, если человек не постарается самым активным образом развивать собственную цельную личность, чтобы обрести созидательную ориентацию; удовлетворение в индивидуальной любви не может быть достигнуто без способности любить ближнего, без искреннего смирения, без смелости, веры и дисциплины. В тех культурах, где эти качества редки, способность любить неизбежно оказывается редким достижением. Каждый может спросить себя: как много истинно любящих людей он знает?

Однако трудность задачи не должна быть основанием для отказа от попытки понять, что этому препятствует. Чтобы избежать ненужных сложностей, я постарался изложить проблему, насколько возможно избегая специальных терминов. По этой же причине я также сократил до минимума ссылки на литературу о любви.

Для еще одной проблемы — как избежать повторения идей, выраженных в моих предшествующих книгах, — я не нашел удовлетворительного решения. Читатель, особенно знакомый с работами «Бегство от свободы», «Человек для себя» и «Здоровое общество», найдет в этой книге многие уже изложенные в них идеи. Тем не менее «Искусство любить» ни в коем случае не является повторением сказанного, не говоря о том, что даже более старые положения иногда обретают новые перспективы в силу того факта, что все они сосредоточены вокруг одной темы — искусства любить.

Э.Ф.

Тот, кто ничего не знает, ничего и не любит. Тот, кто не может ничего сделать, ничего не понимает. Тот, кто ничего не понимает, бесполезен. Но тот, кто понимает, также любит, замечает, видит... Чем больше понимания вложено в предмет, тем больше любовь... Любой, кто считает, будто все ягоды поспевают в то же время, что и земляника, ничего не знает о винограде.

Парацельс

I

Является ли любовь искусством?

Искусство ли любовь? Если да, то она требует знаний и усилий. Или же она — приятное ощущение, испытываемое случайно, нечто, во что человек «впадает», если ему повезет? Эта маленькая книга основана на первом предположении, хотя, несомненно, большинство людей сегодня верят в последнее.

Нельзя сказать, чтобы люди считали любовь чем-то не важным. Они по ней изголодались; они смотрят бесчисленное количество фильмов о счастливой и несчастной любви, они слушают сотни популярных песенок о любви — и все же едва ли кто-нибудь считает, что о любви нужно что-то узнавать.

Такое странное отношение основано на нескольких предпосылках, которые его поддерживают поодиночке или в совокупности. Большинство людей видят проблему в том, чтобы *быть любимыми*, а не в том, чтобы *любить*, обладать способностью к любви. Поэтому для них проблема заключается в том, как вызвать любовь, а не в том, чтобы стать привлекательными. Для достижения своей цели люди идут несколькими путями. Один из них, используемый в первую очередь мужчинами, — добиться успеха, сделаться могущественными и богатыми настолько, насколько позволяет их социальное положение. Другой путь, по которому особенно часто идут женщины, — сделаться привлекательными, заботясь о своем теле, одежде и т. д. Еще один способ, используемый как мужчинами, так и женщинами, заключается в увеличении своей привлекательности за счет приятных манер, способности вести интересный разговор, готовности помочь, скромности, миролюбия. Многие пути к тому, чтобы заслужить любовь, оказываются теми же, которые используются для достижения успеха, для завоевания дружбы и внимания влиятельных людей. На самом деле большинство представителей нашей культуры под привлекательностью понимают чаще всего смесь популярности и сексуальной привлекательности.

Многие пути к тому, чтобы заслужить любовь, оказываются теми же, которые используются для достижения успеха, для завоевания дружбы и внимания влиятельных людей.

Второй предпосылкой такого отношения служит мнение, что проблема любви — это проблема *выбора объекта*, а не *способности любить*. Люди полагают, будто любить легко, а вот найти достойный объект для любви и добиться его — трудно. Подобный взгляд имеет несколько причин, коренящихся в развитии современного общества. Одной из них служит огромное изменение, произошедшее в XX веке в отношении того, что касается «объекта любви». В Викторианскую эпоху, как то было принято в традиционных культурах, любовь не считалась спонтанным личным чувством, которое могло привести к браку. Напротив, браки заключались по договоренности между семьями либо при участии свахи, либо без посредников. Они заключались, исходя из социальных соображений, и считалось, что любовь возникнет сама собой после свадьбы. Но на протяжении жизни последних поколений в западном мире восторжествовала концепция романтической любви, сделавшись почти универсальной. В Соединенных Штатах, где соображения традиционного характера не совсем утратили значение, огромное большинство все же ищет «романтической любви», личного чувства, которое должно иметь следствием брак. Эта новая концепция приоритета свободы в любви чрезвычайно повысила важность *объекта* в противовес важности *функции*.

С этим фактором оказалась тесно связана другая особенность современной культуры. Вся наша культура основана на стремлении покупать, на идее взаимовыгодного обмена. Счастье современного человека заключается в трепетном разглядывании витрин и в приобретении всего, что он может себе позволить, — за наличные или в рассрочку. Он (или она) так же смотрит и на людей. Привлекательная девушка для мужчины или привлекательный мужчина для женщины — это приз, к которому нужно стремиться. «Привлекательность» обычно рассматривается как заманчивый набор качеств, пользующихся популярностью и спросом на рынке личностей. То, что в особенности делает человека привлекательным, зависит от моды и спроса в данный момент как на физические, так и душевные качества. В двадцатые годы XX века девушка, которая пьет и курит, крутая и сексуальная, считалась привлекательной, а сегодня мода требует, чтобы она была более «домашней» и застенчивой. В конце XIX и начале XX века мужчина должен был быть агрессивным и амбициозным, сегодня же он должен быть общительным и терпимым, чтобы стать привлекательным приобретением. В любом случае чувство влюбленности обычно возникает только в отношении таких «человеческих товаров», которые доступны в обмен на собственные возможности. Я стремлюсь заключить сделку, и желанный объект должен быть ценным с точки зрения социальной ценности и одновременно хотеть меня, учитывая при этом мои явные и скрытые достоинства и потенциал. Два человека влюбляются друг в друга, когда чувствуют, что нашли на рынке лучший объект, который может быть приобретен, с учетом ограничений собственной ценности, предлагаемой взамен. Часто, как и при покупке недвижимости, скрытый потенциал, который может быть раскрыт, играет в сделке значительную роль. В культуре с преобладающей рыночной ориентацией, в которой материальный успех обладает выдающейся ценностью, мало оснований удивляться тому, что человеческие любовные отношения следуют той же схеме взаимообмена, что и рынок товаров и услуг.

Счастье современного человека заключается в трепетном разглядывании витрин и в приобретении всего, что он может себе позволить, — за наличные или в рассрочку. Он (или она) так же смотрит и на людей.

Третья ошибка, ведущая к убеждению, будто в любви ничему не нужно учиться, заключается в смешении изначального чувства влюбленности и постоянного состояния любящего человека — «впадения» в любовь и «пребывания» в ней. Если двое людей, незнакомых друг с другом, как это имеет место для всех нас, неожиданно обнаруживают, что стена между ними рушится, чувствуют близость, единение, то этот момент слияния — одно из самых волнующих и радостных ощущений в жизни. Это тем более замечательно и чудесно для людей, которые были ранее закрыты, изолированы, лишены любви. Такое чудо неожиданной близости часто усиливается, если соединяется или порождается сексуальным влечением и совокуплением. Впрочем, такой тип любви по своей природе недолговечен. Двое хорошо узнают друг друга, и близость для них все более теряет свой удивительный характер, покуда антагонизм, разочарование, скука не убивают то, что оставалось от изначального возбуждения. Однако вначале влюбленные всего этого не знают: интенсивность увлечения, то, что они «сходят с ума» друг по другу, они принимают за доказательство силы своей любви, хотя на самом деле это лишь свидетельствует о степени их предшествующего одиночества.

Такое мнение, — что нет ничего легче, чем любить, — продолжает быть преобладающим взглядом на любовь, несмотря на очевидные свидетельства того, что это не так. Едва ли существует поле деятельности или занятие, которые бы сулили столь огромные надежды и ожидания и тем не менее так регулярно приводили к фиаско, как любовь. Случись такое в любой другой сфере, люди непременно пожелали бы узнать причины провала, пожелали ли найти способы избежать этого или отказались бы от соответствующей активности. Поскольку в случае любви последнее невозможно, представляется, что единственный и действенный способ избежать неудачи — это исследовать ее причины и заняться изучением смысла любви.

> Едва ли существует поле деятельности или занятие, которые бы сулили столь огромные надежды и ожидания и тем не менее так регулярно приводили к фиаско, как любовь.

Первый шаг на этом пути — осознать, что любовь — это искусство, как и сама жизнь. Если мы хотим научиться любить, мы должны действовать так же, как мы действуем, если хотим обучиться любому другому искусству — скажем, музыке, живописи, ковроткачеству, медицине или инженерии.

Какие необходимы шаги для овладения любым искусством?

Процесс обучения искусству может быть условно разделен на две части: овладение теорией и овладение практикой. Если я хочу научиться искусству медицины, я должен изучить сначала человеческое тело и различные болезни. Но даже получив эти теоретические знания, я все же ни в коей мере не окажусь компетентным в искусстве медицины. Я овладею им только после долгой и основательной практики, когда наконец мои теоретические познания и результаты практики сольются воедино — в интуицию, являющуюся сутью овладения всяким искусством. Однако помимо изучения теории и практики существует третий фактор, необходимый для того, чтобы стать мастером в любом искусстве: овладение им должно быть главным делом жизни; в мире не должно быть для вас ничего важнее вашего искусства. Это верно для музыки, для медицины, для столярного дела — и также для любви. Возможно, здесь и лежит ответ на вопрос о том, почему представители нашей культуры так редко учатся искусству любить, несмотря на очевидные провалы, несмотря на глубочайшую жажду любви. Почти все считается более важным, чем любовь: успех, престиж, деньги, власть — почти вся наша энергия тратится на то, чтобы узнать, как достичь этих целей, и совсем немного — на овладение искусством любви.

Может ли быть, что единственные вещи, считающиеся достойными изучения, — это те, которые связаны с зарабатыванием денег или престижа, а любовь, имеющая ценность «только» для души, на современный взгляд выгоды не приносит и является роскошью, на которую мы не вправе тратить много энергии? Как бы то ни было, при дальнейшем обсуждении искусство любить будет рассматриваться со следующих позиций: сначала я буду обсуждать теорию любви, и этому будет посвящена большая часть книги; затем я коснусь практики любви, как ни мало могут значить слова в этой области, как и в любой другой.

II

Теория любви

Любовь как ответ на проблему человеческого существования

Любая теория любви должна начинаться с теории человека и человеческого существования. Хотя мы обнаруживаем любовь, или скорее ее эквивалент, у животных, их привязанность в основном является частью комплекса инстинктов; инстинктивная привязанность в ее реликтовой форме может быть обнаружена и у человека. Но главное в существовании человека определяет тот факт, что он вышел из царства животных, из инстинктивной адаптации, и превзошел природу, никогда ее при этом не покидая. Человек — часть природы, но, однажды оторвавшись от нее, вернуться к ней он уже не может; он изгнан из рая — из состояния изначального единства с природой, — и херувим с огненным мечом преградит ему путь, если он попытается возвратиться. Человек может идти вперед, только развивая свой разум, находя новую — человеческую — гармонию взамен дочеловеческой, безвозвратно утраченной.

> ...главное в существовании человека определяет тот факт, что он вышел из царства животных, из инстинктивной адаптации, и превзошел природу, никогда ее при этом не покидая.

Когда человек рождается, будучи представителем человеческой расы и индивидом, он лишается положения, которое было определенным — столь же определенным, как инстинкты, — и оказывается открыт неопределенности и неуверенности. Определенность касается только прошлого и будущего (в том смысле, что оно кончается смертью).

Человек наделен разумом; он — жизнь, осознающая себя; он осознает себя, других людей, свое прошлое и возможности, которые таит будущее. Это осознание себя как отдельного существа, осознание краткости своей жизни, того, что он рожден независимо от своей воли и независимо от своей воли умрет, того, что он умрет прежде тех, кого любит, или они умрут прежде него, осознание своего одиночества и отчужденности, своей беспомощности перед силами природы и общества — все это делает его отдельное, изолированное существование невыносимым заточением. Человек лишился бы рассудка, если бы не мог освободиться из этой тюрьмы и дотянуться до других людей, как-то соединиться с ними и с внешним миром.

Чувство отчужденности порождает тревогу; оно и является источником всех тревог. Быть отчужденным — значит не иметь никакой возможности использовать свои человеческие силы. Быть отдельным от всех означает быть беспомощным, неспособным активно контактировать с миром — предметами и людьми; это значит, что мир может подмять меня, лишенного способности сопротивляться. Таким образом, отчужденность порождает острую тревогу. Кроме того, она вызывает стыд и чувство вины. Это ощущение стыда и вины нашло выражение в библейской истории Адама и Евы. После того как Адам и Ева вкусили от «дерева познания добра и зла», после того как они не подчинились (а не существует добра и зла без свободы не подчиняться), после того как они стали людьми, избавившись от исходной животной гармонии с природой, т. е. после своего рождения в человеческом качестве они увидели, что наги — и устыдились. Можно ли предположить, что столь древний и простой миф содержит ханжескую мораль XIX века, и суть, которую он хочет передать нам, заключается в том, что первые люди устыдились того, что их гениталии не прикрыты? Едва ли это так, и понимая миф в викторианском духе, мы упускаем главное: после того как мужчина и женщина осознали себя и друг друга, они осознали также свою отдельность и различия между собой как представителями разных полов. Осознав свою обособленность, они сделались чужими, потому что еще не научились любить друг друга (это совершенно ясно видно из того, как Адам защищается, обвиняя Еву и не пытаясь ее защитить). *Понимание человеческой обособленности без воссоединения в любви и есть источник стыда. Осознание этого — источник чувства вины и тревоги.*

Глубочайшая потребность человека, таким образом, это потребность преодолеть свою отчужденность и выбраться из тюрьмы одиночества.

Глубочайшая потребность человека, таким образом, это потребность преодолеть свою отчужденность и выбраться из тюрьмы одиночества.

Абсолютная неудача в достижении этой цели означает безумие, потому что панику из-за полной изоляции можно преодолеть лишь полностью отгородившись от внешнего мира; только тогда чувство изоляции исчезнет, поскольку исчезнет сам внешний мир.

Перед человеком во все времена и во всех культурах стоит один и тот же вопрос: как преодолеть свое неистребимое желание удовлетворять собственные потребности и примириться с тем фактом, что такие же потребности есть и у других людей? Вопрос один и тот же для первобытного человека, живущего в пещере, для кочевника, пасущего свои стада, для египетского крестьянина, купца-финикийца, римского солдата, средневекового монаха, японского самурая, современного клерка и фабричного рабочего. Вопрос тот же, потому что проистекает он из того же источника: положения человека, условий человеческого существования. Ответ на него меняется. Он может заключаться в почитании животных, в человеческих жертвоприношениях или захватнических войнах, в стремлении к роскоши, в аскетизме, в одержимости работой, в художественном творчестве, в любви к Богу и в любви к человеку. Хотя ответов существует множество, о чем свидетельствует история, число их тем не менее не бесконечно. Напротив, если мы отставим в сторону несущественные различия, мы с удивлением обнаружим, что ответов было не так уж много, и отличия между ними связаны в основном с культурными традициями. История религии и философии — история ответов на этот главный вопрос — ответов очень разных по форме и очень близких по своей сути.

Ответы в некоторой степени зависят от того, какой степени самосознания достиг индивид. У младенца осознание своего Я развито еще незначительно; он все еще чувствует себя единым целым с матерью и не ощущает изоляции, пока мать рядом. Его одиночество исцеляется физическим присутствием матери, ее грудью, ее кожей. Только когда у ребенка развивается ощущение отдельности и собственной индивидуальности, одного физического присутствия матери ему уже недостаточно, и у него возникает потребность преодолеть отчуждение другими способами.

Аналогично этому и человеческая раса в младенчестве живет в единстве с природой. Земля, животные, растения — это все еще мир человека, который идентифицирует себя со зверями, что выражается в ношении масок животных, почитании тотемов или звероподобных богов. Однако чем больше человеческая раса вырастает из пеленок, тем больше она отделяет себя от мира природы, тем более насущной становится потребность в новых путях преодоления отчужденности.

Один из путей достижения этой цели лежит во всевозможных оргиастических ритуалах. Они могли принимать форму самонаведенного транса, иногда с помощью наркотиков. Многие обряды примитивных племен дают яркую картину подобного способа решения проблемы. В пограничном состоянии экзальтации внешний мир исчезает, а вместе с ним и чувство изоляции от него. Поскольку такие ритуалы практикуются сообща, возникает ощущение слияния с группой, что делает решение еще более эффективным. Тесно связаны с этим и часто сочетаются с оргиастическим ритуалом сексуальные переживания. Сексуальный оргазм может вызвать состояние, сходное с достигаемым в трансе или с эффектом некоторых снадобий. Обряды общинных сексуальных оргий были распространены у многих примитивных народностей. По-видимому, после участия в оргиастическом ритуале человек может какое-то время приглушить дискомфорт от ощущения своей изолированности. Напряжение, вызываемое тревогой, понемногу возвращается, но затем снова разряжается благодаря повторению ритуала.

Пока оргиастические обряды являются обычной практикой в племени, они не вызывают беспокойства или чувства вины. Такие действия правильны и даже добродетельны, потому что разделяются всеми, их одобряют и даже требуют целители или жрецы; поэтому нет причины чувствовать вину или стыд. Дело обстоит совсем иначе, если такое же решение избирает представитель другой культуры, где это не принято. В отличие от тех, кто участвует в социально одобренных ритуалах, такие индивиды страдают от чувства вины и раскаяния. Пытаясь избежать изоляции с помощью алкоголя и наркотиков, они еще острее чувствуют свою обособленность по завершении оргиастического переживания и начинают употреблять эти вещества с большей частотой и интенсивностью. Использование сексуально-оргиастического решения в некотором роде более естественная и нормальная форма преодоления отчуждения, частично решающая проблему изоляции. Однако у многих индивидов, не умеющих преодолевать отчуждение другими способами, поиск сексуального оргазма приобретает функцию, не особенно отличающуюся от алкоголизма или наркомании. Это становится отчаянной попыткой избежать тревоги, порождаемой отчужденностью и приводящей ко все возрастающему чувству изоляции, поскольку половой акт без любви не может устранить пропасть между людьми (разве что на мгновение).

...половой акт без любви не может устранить пропасть между людьми (разве что на мгновение).

Все формы оргиастического единения имеют три характеристики: они отличаются силой и даже жестокостью; они целиком подчиняют себе рассудок и тело; они преходящи и периодичны. Полной их противоположностью является такая форма единения, которая чаще всего служила решением в прошлом и продолжает служить в настоящем: единение, основанное на подчинении группе, ее обычаям, практике и верованиям. И здесь мы тоже обнаруживаем значительное видоизменение.

В примитивном обществе группа невелика и состоит из родственников, сообща проживающих на одной территории. По мере роста и развития культуры группа увеличивается — она включает уже граждан полиса, граждан государства, приверженцев церкви. Даже бедный римлянин гордился тем, что может сказать: «civis romanus sum» — «я — римский гражданин»; Рим и вся Римская империя были его семьей, его домом, его миром. В современном западном обществе принадлежность к группе по-прежнему является наиболее распространенным способом преодоления отчужденности. При таком единении индивидуальная самость в значительной мере исчезает, целью становится принадлежность к группе. Если я такой же, как все, если у меня нет мыслей и чувств, которые отличали бы меня от других, если я подчиняюсь обычаям, дресс-коду, идеям группы, я защищен и спасен от пугающего одиночества. Авторитарные системы используют угрозы и террор для воспитания в духе конформизма, а в демократических странах той же цели служат убеждение и пропаганда. Между двумя системами существует все же огромное различие. При демократии нонконформизм возможен и на самом деле всегда присутствует; тогда как в тоталитарных системах отказа от повиновения можно ждать лишь от немногих героев и мучеников. И тем не менее, несмотря на это различие, демократические общества демонстрируют всеобъемлющий конформизм. Причина этого состоит в том, что стремление людей к единению требует удовлетворения, и если не находится другого и лучшего пути, тогда стадное послушание делается преобладающим. Понять силу страха оказаться иным, страха выделиться из толпы можно, только оценив глубину потребности не оказаться в изоляции. Иногда страх перед нонконформизмом рационализируется как страх перед реальными опасностями, которые грозят непокорным. Однако на самом деле люди *хотят* подчиняться в гораздо большей степени, чем они к этому *принуждаются*, во всяком случае, в западных демократических странах.

В современном западном обществе принадлежность к группе по-прежнему является наиболее распространенным способом преодоления отчужденности.

Большинство людей даже не осознают своей потребности в подчинении. Они питают иллюзию, будто следуют собственным идеям и склонностям, будто они — индивидуальности и сформировали свои мнения в результате собственных размышлений, и просто случайно получилось так, что их мысли совпадают с мыслями большинства. Консенсус служит доказательством правильности их взглядов. Поскольку все же имеется потребность в том, чтобы ощущать себя индивидуальностью, она удовлетворяется за счет мелких индивидуальных различий: инициалов на сумке или свитере, бейджика на банковском служащем, принадлежности к демократической, а не республиканской партии, к болельщикам той или иной спортивной команды. И даже рекламный слоган «Не такое, как у всех» демонстрирует эту трогательную потребность в отличиях, когда на самом деле их почти не осталось.

> Авторитарные системы используют угрозы и террор для воспитания в духе конформизма, а в демократических странах той же цели служат убеждение и пропаганда.

Такая растущая тенденция к уничтожению различий тесно связана с концепцией равенства в том виде, в каком она развилась в большинстве передовых индустриальных стран. Равенство в религиозном смысле означало, что все мы — дети Бога, все разделяем божеско-человеческую сущность, все мы — одно. Оно означало также, что сами различия между людьми должны уважаться, что хотя мы и вправду одно, верно и то, что каждый из нас — уникальное существо, самостоятельный космос. Такое убеждение в уникальности индивида выражается, например,

> ...люди *хотят* подчиняться в гораздо большей степени, чем они к этому *принуждаются*, во всяком случае, в западных демократических странах.

в талмудическом утверждении, что тот, кто спасает единственную жизнь, спасает целый мир; а кто уничтожает единственную жизнь, уничтожает целый мир. Равенство как условие развития индивидуальности было также смыслом философских концепций в эпоху Просвещения. Это яснее всего сформулировал Кант: ни один человек не должен служить средством достижения цели для другого человека; все люди равны в том, что они — цель, и только цель, и никакие не средства друг для друга. Следуя идеям Просвещения, мыслители-социалисты, представители разных школ, определяли равенство как освобождение от эксплуатации, использования человека человеком независимо от того, было ли такое использование жестоким или «гуманным».

...ни один человек не должен служить средством достижения цели для другого человека...

В современном капиталистическом обществе значение равенства трансформировалось. Под равенством стало пониматься равенство автоматов — людей, утративших свою индивидуальность. *Равенство сегодня означает одинаковость, а не уникальность.* Это одинаковость абстракций, одинаковость людей, работающих на одинаковых рабочих местах, одинаково развлекающихся, читающих одинаковые газеты, одинаково чувствующих и думающих. В этом отношении следует с определенным скептицизмом смотреть на некоторые достижения, обычно восхваляемые как признаки прогресса, такие, например, как равноправие женщин. Нет нужды говорить, что я не высказываюсь против него, однако нельзя обманываться позитивными аспектами движения к равенству. Это часть тенденции к уничтожению различий. Именно этой ценой покупается равенство: женщины равны с мужчинами, потому что они больше не отличаются от них. Утверждение философии века Просвещения, что «душа не имеет пола», сегодня овладело умами. Полярность полов исчезает, и вместе с ней исчезает эротическая любовь, основывающаяся на этой полярности. Мужчины и женщины делаются *одинаковыми*, а не *равными* как противоположные полюса. Современное общество проповедует такой идеал обезличенного равенства, поскольку нуждается в человеческих атомах, не отличающихся друг от друга, чтобы заставить их функционировать в массовых скоплениях гладко и без

> В современном капиталистическом обществе значение равенства трансформировалось. *Равенство сегодня означает одинаковость, а не уникальность.*

трения; все обязаны выполнять одинаковые команды, хотя каждый убежден, что следует собственным желаниям. Точно так же, как современное массовое производство требует стандартизации продукции, социальные процессы требуют стандартизации людей, и эта стандартизация называется у нас «равенством».

Полярность полов исчезает, и вместе с ней исчезает эротическая любовь, основывающаяся на этой полярности. Мужчины и женщины делаются *одинаковыми*, а не *равными* как противоположные полюса.

Объединение на почве конформизма не является ни интенсивным, ни насильственным; это спокойный процесс, диктуемый рутиной, и именно по этой причине часто оказывающийся недостаточным для снятия тревоги, порожденной отчуждением. Распространенность алкоголизма, наркомании, самоубийств и одержимости сексом в современном западном обществе является симптомом относительной неудачи стадного конформизма. Более того, данное решение проблемы касается больше ума, чем тела, и по этой причине проигрывает по сравнению с оргиастическими состояниями. Стадный конформизм обладает всего одним преимуществом: он постоянен, а не судорожен. Индивид включается в схему конформизма в возрасте трех-четырех лет и впоследствии уже никогда не теряет контакта со стадом. Даже его похороны, на которые он смотрит как на последнее для себя важное социальное событие, находятся в строгом соответствии с общепринятыми требованиями.

Индивид включается в схему конформизма в возрасте трех-четырех лет и впоследствии уже никогда не теряет контакта со стадом.

В добавление к конформизму как способу унять тревогу, порождаемую изоляцией, следует учитывать еще один фактор современной жизни: роль рутины на работе и в развлечениях. Человек прирастает к станку или стулу с девяти до пяти, он — часть рабочей силы на производстве или клерк в бюрократическом учреждении. Он не проявляет инициативы, его обязанности жестко диктуются ему той организацией, на которую он работает; нет сколь-нибудь существенной разницы между высоко поднявшимися по служебной лестнице и находящимися в самом низу. Все они выполняют задачи, продиктованные структурой данной организации, с предписанной скоростью и предписанным способом. Даже их чувства строго нормативны: жизнерадостность, терпимость, надежность, амбициозность, способность сработаться с кем угодно без трений. В их развлечениях также царит рутина, хоть и не выражающаяся столь жестко. Книги отбираются клубами читателей, кинофильмы определяются владельцами киностудий или кинотеатров и оплаченной ими рекламой. Остальное тоже унифицировано: воскресная поездка на машине, просмотр телепередач, игра в карты, вечеринки. От рождения до смерти, от понедельника до понедельника, с утра до вечера — все действия рутинны и соответствуют заведенному распорядку. Как может индивид, запутавшийся в этой сети, не забыть, что он человек, уникальная личность и хозяин своей единственной жизни, с ее надеждами и разочарованиями, печалями и страхами, с жаждой любви и боязнью пустоты и изоляции?

Третий путь к достижению единения заключается в творческой деятельности, будь то художника или ремесленника. При любом виде творчества личность объединяет себя в творческом процессе с материалом, который представляет собой внешний мир. Делает ли столяр стол или ювелир украшение, выращивает ли крестьянин урожай или художник рисует картину, в любой творческой деятельности работник и его объект делаются едины, и человек связывает себя с миром в созидательном процессе. Это характерно именно и только для созидательной деятельности — деятельности, которую я сам планирую, произвожу и вижу результат своего труда. В современном трудовом процессе клерка или рабочего у бесконечной ленты конвейера мало что остается от этого объединяющего свойства работы. Работник становится придатком машины или бюрократического механизма. Он перестает быть собой; поэтому никакого единения, помимо конформизма, не возникает.

Единение, достигаемое в ходе созидательной деятельности, не является межличностным; единение, достигаемое при оргиастическом слиянии, преходяще; единение, достигаемое благодаря конформизму, является псевдоединением. Таким образом, во всех этих случаях мы находим только частичное решение экзистенциальной проблемы. Полное ее решение заключается в достижении межличностного единения — в слиянии с другим человеком в *любви*.

Желание межличностного слияния наиболее сильное из всех стремлений человека. Это самая фундаментальная страсть и та сила, что скрепляет человеческую расу, род, семью, общество. Неудача в достижении такого слияния означает безумие или распад — самоуничтожение или уничтожение других. Без любви гуманизм не смог бы просуществовать и дня. Однако, если мы назовем достижение межличностного слияния любовью, мы столкнемся с серьезной трудностью. Слияние может быть достигнуто разными путями — и различия разных форм любви не менее важны, чем сходство между ними. Следует ли все их называть любовью? Или нужно сохранить слово «любовь» лишь для специфического вида единения — того, который был идеальной добродетелью всех великих гуманистических религий и философских систем за последние четыре тысячи лет истории Запада и Востока?

Желание межличностного слияния наиболее сильное из всех стремлений человека. Это самая фундаментальная страсть и та сила, что скрепляет человеческую расу, род, семью, общество.

Как и со всеми семантическими трудностями, ответ может быть любым. Необходимо только определиться, какой именно вид единения мы подразумеваем, говоря о любви. Имеем ли мы в виду любовь как ответ сложившейся личности на проблему существования или же о тех незрелых формах любви, которые могут быть названы *симбиотическим союзом*? В дальнейшем любовью я буду называть только первое, но начать хочу со второго.

Симбиотический союз соответствует биологической схеме отношений между беременной матерью и плодом. Их двое, и в то же время они — одно. Они живут «вместе» (греч. — symbiosis), нуждаются друг в друге. Плод — часть своей матери, и все, в чем он нуждается, он получает от нее; мать — его мир; она кормит его и защищает, однако и ее жизнь благодаря ему приобретает особую значимость. При *психическом симбиозе* два тела независимы друг от друга, но психологически это очень похожий вид привязанности.

Пассивная форма симбиотического союза состоит в подчинении, или, если использовать медицинский термин, является *мазохизмом*. Мазохист избавляется от невыносимого чувства изоляции и отдельности тем, что делает себя частью другого человека, который направляет его, руководит им и защищает; этот человек становится его жизнью, его кислородом. Сила того, кому мазохист подчиняется, крайне преувеличивается им, будь то человек или божество. Он — все, а я — ничто, и что-то собой представляю только как его часть. Как часть, я разделяю его величие, силу, уверенность. Мазохисту не нужно принимать решений, не нужно ничем рисковать; он никогда не оказывается в одиночестве, но лишен независимости и целостности, он еще не полностью родился. В религиозном контексте такой объект поклонения называется идолом; в светском контексте основной механизм мазохистских любовных отношений — идолопоклонство — имеет тот же характер. Мазохизм может смешиваться с физическим сексуальным желанием. В этом случае подчинение распространяется не только на разум, но и на тело. Может существовать мазохистское подчинение судьбе, болезни, ритмичной музыке, оргиастическим состояниям под воздействием наркотиков или в гипнотическом трансе. Во всех таких случаях человек отказывается от своей целостности, превращает себя в инструмент кого-то или чего-то вне себя; у него нет необходимости решать экзистенциальную проблему с помощью созидательной деятельности.

Активная форма симбиотического союза есть доминирование, или, если использовать медицинский термин, соответствующий мазохизму, — *садизм*. Садист стремится избавиться от одиночества и чувства заточения, делая другого человека частью себя. Он придает себе бо́льшую значимость, включая в себя другого человека, который ему поклоняется.

Садист так же зависит от подчинившегося ему мазохиста, как и тот от него; ни один из них не может жить без другого. Различие заключается только в том, что садист командует, эксплуатирует, унижает, причиняет боль, а мазохист подчиняется, эксплуатируется, терпит унижение и боль. В практическом смысле это значительное различие; в более глубоком эмоциональном смысле различие не так уж велико по сравнению с тем, что у садиста и мазохиста является общим: слияние без целостности.

Осознав это, нетрудно обнаружить, что обычно человек ведет себя то на садистский, то на мазохистский манер в отношении различных объектов. Гитлер действовал в отношении людей в первую очередь как садист, но выступал в роли мазохиста в отношении судьбы, истории, «высшей мощи» природы. Его конец — самоубийство посреди всеобщего разрушения — столь же характерно, как и его мечта о мировом господстве*.

...зрелая *любовь — это союз, при котором сохраняется целостность личности индивидуумов. Это активная сила, действующая в человеке.*

В отличие от симбиотического союза зрелая *любовь — это союз, при котором сохраняется целостность личности индивидуумов. Это активная сила, действующая в человеке*. Любовь разрушает стену, отделяющую человека от других людей, и объединяет его с ними; любовь заставляет человека преодолеть чувство обособленности и отчуждения, позволяя ему оставаться самим собой, сохранять свою целостность. Парадокс любви заключается в том, что двое становятся одним, оставаясь двумя.

---

* Более детальное исследование садизма и мазохизма см. в книге Э. Фромма «Бегство от свободы».

> Парадокс любви заключается в том, что двое становятся одним, оставаясь двумя.

Если мы скажем теперь, что любовь — это все же деятельность, то столкнемся с трудностью, которая заключается в двойственности значения слова «деятельность». Под деятельностью в современном употреблении обычно понимается действие, которое приводит к изменению существующей ситуации благодаря затрате энергии. Таким образом, человек считается активным, если он занимается бизнесом, изучает медицину, работает на конвейере, составляет таблицы или занимается спортом. Общим у всех этих видов деятельности является то, что они направлены на достижение внешней цели. Что не учитывается, так это *мотивация* деятельности. Возьмем, например, человека, побуждаемого к непрерывной работе чувством глубокой неуверенности и одиночества; или другого — побуждаемого амбициями или алчностью. В обоих случаях человек оказывается рабом страсти, и его деятельность на самом деле есть «пассивность», потому что такой человек не свободен: он страдалец, а не «деятель». С другой стороны, человек, сидящий и размышляющий без иной цели, кроме самоощущения и ощущения своего единства с миром, считается «пассивным», потому что он «ничего не делает». На самом деле такая сосредоточенная медитация представляет собой высочайшую деятельность, деятельность души, которая возможна только в условиях внутренней свободы и независимости. Современная концепция деятельности указывает на затрату энергии для достижения внешних целей; другая концепция касается использования человеком внутренних сил независимо от того, производится ли какое-то внешнее изменение. Последняя концепция деятельности яснее всего была сформулирована Спинозой. Он делит аффекты на активные и пассивные, «действия» и «страсти». При осуществлении активного аффекта человек свободен, он хозяин своего аффекта; при пассивном аффекте человек зависим, им движут побуждения и мотивы, которых он сам не осознает. Таким образом, Спиноза приходит к выводу, что добродетель и действенная сила — одно и то же*. Зависть, ревность, амбиции, любой вид алчности — все это страсти; любовь может проявляться только в условиях свободы и никогда — в результате принуждения.

...любовь может проявляться только в условиях свободы и никогда — в результате принуждения.

* Спиноза Б. Этика. Ч. IV. Пол. 8.

Любовь — это всегда деятельность, а не пассивный аффект. Это состояние постоянного «пребывания», а не «впадения». В самом общем смысле активный характер любви может быть описан утверждением, что любить — значит в первую очередь *давать*, а не брать.

...активный характер любви может быть описан утверждением, что любить — значит в первую очередь *давать*, а не брать.

Что значит давать? Каким бы простым ни казался ответ на этот вопрос, на самом деле он полон двусмысленности и сложностей. Наиболее часто встречающееся неправильное понимание заключается в том, что «давать» — значит «отказываться» от чего-то, лишаться этого, приносить в жертву. Человек, не поднявшийся в своем развитии выше потребительской или эксплуататорской психологии и ориентированный на накопление, воспринимает акт отдачи именно так. Обладающий рыночной психологией готов отдавать, но только при получении чего-то взамен; отдать, ничего за это не получив, для него значит быть обманутым*. Люди с подобными установками воспринимают отдачу как понесенный ущерб. Поэтому они не согласны ни-

* Подробное описание такого типа характера можно найти в книге Э. Фромма «Человек для себя».

чего отдавать. Другие, отдавая, возводят это в добродетель — в том смысле, что они чем-то жертвуют. Они считают, что именно из-за болезненности этого действия и *нужно* отдавать; добродетельность для них как раз и заключается в том, что, отдавая, они приносят жертву. Норма, согласно которой лучше давать, чем получать, по их мнению, означает, что лучше страдать от лишения, чем испытывать радость от приобретения.

Совершенно иное значение акт отдачи имеет для созидательного характера. Отдавать — значит в высшей степени проявлять свою состоятельность. В самом этом акте я проявляю свою силу, свое богатство, свою власть. Испытывая яркое ощущение жизни и жизненных сил, я наполняюсь радостью. Я чувствую себя переполненным через край, расходующим, живым — и следовательно, радостным*. «Давать» приносит больше радости, чем «получать», не потому, что это — лишение, а потому, что этим актом я подтверждаю тот факт, что я жив.

Отдавать — значит в высшей степени проявлять свою состоятельность. В самом этом акте я проявляю свою силу, свое богатство, свою власть.

* Сравните с описанием радости Спинозой.

Нетрудно убедиться в справедливости этого принципа, приложив его к различным специфическим феноменам. Самый элементарный пример можно обнаружить в сфере секса. Кульминация мужской сексуальной функции — акт отдачи; мужчина отдает себя, свой половой орган, женщине. В момент оргазма он отдает ей свое семя. Он не может этого избежать, если обладает соответствующей потенцией. Если он не может отдавать, он импотент. Для женщины этот акт означает ровно то же, хотя является чуть более сложным. Она тоже отдает себя: она открывает доступ к своему женскому лону и, получая, также отдает. Если она не способна отдавать, если она только получает, то она фригидна. Женщина акт отдачи совершает не только в качестве любовницы, но и в качестве матери. Она отдает себя растущему в ней младенцу, отдает свое молоко и тепло своего тела. Не отдавать было бы для нее страданием.

Скупец, обеспокоенный тем, как бы чего не потерять, в психологическом смысле является бедняком...

В сфере материальной отдавать — значит быть богатым. И богат не тот, кто много имеет, а тот, кто много *отдает*. Скупец, обеспокоенный тем, как бы чего не потерять, в психологическом смысле является бедняком, обнищавшим человеком независимо от того, многим ли он владеет. Каждый, кто способен давать, богат. Он чувствует себя тем, кто может дарить себя другим. Только лишенный всего, что выходит за пределы совершенно необходимого для поддержания жизни, не способен наслаждаться, отдавая материальные ценности. Однако повседневный опыт показывает, что оценка объема минимально необходимого зависит от характера человека не меньше, чем от того, чем он действительно обладает. Хорошо известно, что бедняки с большей готовностью делятся чем-то, чем богатые. Тем не менее бедность, переходящая определенную границу, лишает возможности отдавать; нищета мучительна не только из-за страданий, которые она причиняет напрямую, но еще и потому, что лишает бедняка радости отдавать.

...нищета мучительна не только из-за страданий, которые она причиняет напрямую, но еще и потому, что лишает бедняка радости отдавать.

Однако самая важная область, где происходит отдача, — это не мир материальных ценностей, а сфера человеческих отношений. Что один человек отдает другому? Он отдает себя, самое драгоценное, чем владеет, — саму свою жизнь. Это не обязательно означает, что он жертвует жизнью ради другого, — он отдает то, что есть в нем живого; он делится своей радостью, своими интересами, своим пониманием, своими знаниями, своим весельем, своей печалью — всеми проявлениями своей жизни. Таким образом, делясь своей жизнью, он обогащает другого человека, увеличивает его жизненную силу и усиливает собственное ощущение того, что он жив. Он отдает не для того, чтобы получить; возможность отдавать приносит ему радость. Также, отдавая, человек вызывает отклик в другом человеке, и то, что он пробудил, отражается на нем. Подобная самоотдача всегда пробуждает ответный отклик и желание разделить друг с другом вызванную этим радость. В акте самоотдачи возникает особое чувство, и оба участника испытывают благодарность за то, что им открылось. В отношении любви это значит, что любовь есть сила, порождающая любовь; импотенция — это неспособность породить любовь. Эта мысль прекрасно выражена Марксом: «Возьмите, — говорит он, — человека как человека, а его отношение к миру как человеческое отношение; вы сможете обменять любовь только на любовь, доверие только на доверие. Если вы хотите наслаждаться искусством, вы должны быть образованны в этой области; если вы хотите влиять на других людей, вы должны быть личностью, действительно стимулирующей других людей, двигающей их вперед. Ваши отношения с людьми и природой должны быть определенным выражением вашей реальной индивидуальной жизни, соответствующим объекту вашей воли. Если вы любите, не вызывая любви, т. е. ваша любовь как таковая любви не порождает, если, проявляя себя как любящий человек, вы не сумели вызвать ответной любви, значит, ваша любовь бессильна, и это — несчастье»*. Но принцип «отдавать — значит получать» проявляет себя и в других сферах человеческих отношений. Учитель и сам учится у своих учеников, артиста вдохновляют зрители, психоаналитик сохраняет психическое здоровье благодаря пациентам, — при условии, что все они не обращаются друг с другом как с объектами и общаются искренне и плодотворно.

Едва ли необходимо подчеркивать тот факт, что способность любить как акт самоотдачи зависит от уровня развития и характера личности. Эта способность требует созидательной ориентации; при такой ориентации человек преодолевает зависимость от нарциссического самолюбования, желания эксплуатировать других и стремления к накопительству и обретает веру в собственные человеческие силы, мужество полагаться на них для достижения своей цели. При отсутствии этих качеств человек боится отдавать себя — следовательно, боится любить.

---

* «Nationalökonomie und Philosophie», 1844. Опубликовано в «Die Frühschriften», Stuttgart: Alfred Kröner Verlag, 1953. (Перевод на англ. язык Э. Фромма.)

...способность любить как акт самоотдачи зависит от уровня развития и характера личности.

Помимо элемента самоотдачи, активный характер любви становится очевидным из того, что всегда предполагает присутствие определенных базовых элементов, общих для всех форм любви. *Забота, ответственность, уважение и понимание — базовые элементы, общие для всех форм любви.*

Забота, ответственность, уважение и понимание – базовые элементы, общие для всех форм любви.

То, что любви сопутствует забота, наиболее очевидно в любви матери к ребенку. Никакие заверения в любви не покажутся нам искренними, если мы заметим недостаток заботы, если мать пренебрегает кормлением, купанием ребенка, его самочувствием; напротив, ее любовь произведет на нас впечатление, если мы увидим, как мать заботится о малыше. Точно так же даже с любовью к животным или растениям. Если женщина говорит, что любит цветы, но мы видим, что она забывает их поливать, мы не поверим в ее «любовь» к цветам. *Любовь есть активная озабоченность жизнью и благополучием того, кого мы любим.* Где такая активная озабоченность отсутствует, там нет любви. Данный элемент любви прекрасно описан в «Книге Ионы». Бог велел Ионе идти в Ниневию, чтобы предостеречь ее жителей: они будут наказаны, если не откажутся от своих греховных привычек. Иона уклоняется от выполнения своей миссии, поскольку опасается, что жители Ниневии исправятся и Бог простит их. Он человек с развитым чувством уважения к порядку и закону, но лишенный любви. Однако его попытка сбежать кончается тем, что он оказывается во чреве кита, что символизирует состояние изоляции и заключения. Затем Бог спасает его, и Иона отправляется в Ниневию. Он проповедует жителям, как велел ему Бог, и случается именно то, чего Иона так опасался. Жители Ниневии раскаиваются в своих грехах, становятся добродетельны, и Бог прощает их и решает не разрушать города. Иона очень сердит и разочарован; ему хотелось, чтобы свершилось «правосудие», а не помилование. Он находит себе укрытие в тени дерева, которое Бог вырастил, чтобы защитить его от палящего зноя. Однако когда Бог велит этому дереву засохнуть, Иона впадает в уныние и принимается роптать. Бог отвечает ему: «Ты сожалеешь о растении, над которым ты не трудился и которого не растил, которое в одну ночь выросло и в одну же ночь и пропало. Мне ли не пожалеть Ниневии, города великого, в котором более ста двадцати тысяч человек, не умеющих отличить правой руки от левой, и множество скота?» Ответ Бога Ионе следует понимать символически. Бог объясняет Ионе, что суть любви — «трудиться» ради чего-то, «вырастить» что-то, что любовь и труд неразделимы. Человек любит то, ради чего трудится, и трудится для того, кого любит.

Человек любит то, ради чего трудится, и трудится для того, кого любит.

Уход и забота предполагают еще один аспект любви — *ответственность*. Сегодня ответственность часто понимается как выполнение долга, нечто, налагаемое на человека извне. Однако ответственность в истинном смысле слова — чисто добровольный акт; это мой отклик на потребности, высказанные или невысказанные, другого человеческого существа. Быть ответственным — значит быть способным и готовым «откликнуться». Иона не чувствовал ответственности за жителей Ниневии. Он, как и Каин, мог бы сказать: «Разве я сторож брату моему?» Любящий человек откликается. Жизнь его брата — дело не только самого брата, но и его собственное. Человек чувствует такую же ответственность за своих собратьев, что и за себя. В случае матери и младенца ответственность касается прежде всего заботы о его физических потребностях. В случае любви между взрослыми это касается прежде всего душевных потребностей близкого человека.

Ответственность с легкостью может выродиться в доминирование и собственничество, если отсутствует третий компонент любви — уважение. Уважение — это не опасение и не благоговение; оно предполагает (в соответствии с происхождением слова: respect — от лат. respicere, «смотреть на») способность видеть человека таким, каков он есть, осознавать уникальность его личности. Уважение означает озабоченность тем, чтобы другой человек мог развиваться, сохраняя верность себе. Уважение исключает использование одного человека в целях другого. Я хочу, чтобы тот, кого я люблю, имел возможность развиваться по-своему, а не ради того, чтобы служить мне. Если я люблю другого человека, я чувствую свое единение с ним как с таковым, каков он есть, а не с тем, кто нужен мне как объект, которым я пользуюсь. Ясно, что уважение возможно только в том случае, если я сам достиг независимости; если я могу стоять и идти без костылей, без необходимости использовать или эксплуатировать кого-то еще. Уважение существует только на основе свободы, а не подчинения или господства; как поется в старой французской песне — «l'amour est l'enfant de la liberté» («любовь — дитя свободы»).

> Уважение исключает использование одного человека в целях другого.

Уважать человека невозможно, не понимая его; забота и ответственность слепы, когда нет понимания, а понимание невозможно, когда нет искренней заботы. Существует много уровней понимания; понимание, которого требует любовь, не бывает поверхностным, оно проникает в самую суть. Такое возможно, когда я выхожу за пределы озабоченности собой и ясно вижу другого человека во всех его проявлениях. Я могу знать, например, что человек сердится, даже если он этого не показывает; однако я могу понимать его и глубже — увидеть, что он чем-то взволнован и обеспокоен, что он чувствует себя одиноким и испытывает чувство вины. Тогда мне становится понятно, что его раздражение — проявление чего-то более глубокого и скрытого, что он не столько сердится, сколько страдает.

Понимание обладает еще одной, более фундаментальной связью с проблемой любви. Основополагающая потребность в слиянии с другим человеком, чтобы вырваться из тюрьмы собственной обособленности, тесно связана с другим специфически человеческим желанием — желанием узнать «секрет человека». Если жизнь даже в своих чисто биологических аспектах — чудо и тайна, то человек в его человеческом аспекте — тем более представляет собой неразгаданный секрет для себя и других людей. Мы знаем себя и все же, несмотря на все усилия, себя не знаем. Мы знаем также других людей, и их тоже не знаем, потому что я — не вещь, и другой человек тоже не вещь. Чем глубже мы заглядываем в себя или в кого-то другого, тем больше от нас ускользает задача познания. Однако мы не можем удержаться от желания проникнуть в загадку души человека, в самое сокровенное ядро, которое и есть личность.

Чем глубже мы заглядываем в себя или в кого-то другого, тем больше от нас ускользает задача познания.

Существует один отчаянный способ выведать ее секрет: обрести полную власть над другим человеком; власть, которая заставит его делать то, чего мы хотим, чувствовать то, чего мы хотим, думать так, как мы хотим, по сути — превратить его в вещь, в нашу собственность. Крайняя степень такого «способа познания» заключается в экстремальном садизме, желании и способности заставить человеческое существо страдать, пытками и мучениями вынудить его выдать нам свой секрет. В этой жажде проникновения в тайну человека — тем самым и в нашу собственную — кроется основополагающая мотивация крайней жестокости и страсти разрушения. В самом лаконичном виде эта идея была выражена Исааком Бабелем. Он приводит высказывание бойца времен Гражданской войны в Советской России, который перед тем до смерти замучил своего прежнего барина: «Стрельбой, — я так выскажу, — от человека только отделаться можно: стрельба — это ему помилование, а себе гнусная легкость, стрельбой до души не дойдешь, где она у человека есть и как она показывается. Но я, бывает, себя не жалею, я, бывает, врага час топчу или более часу, мне желательно жизнь узнать, какая она у нас есть»*.

Аналогичный способ получения знаний часто и совершенно откровенно используют дети. Ребенок что-нибудь разбирает или ломает, чтобы узнать, что внутри; так же он может поступить и с живым существом, например, жестоко оторвать крылья у бабочки, чтобы постичь, что это и зачем. Подобная жестокость мотивирована чем-то более глубоким: желанием узнать секрет устройства вещей и тайну жизни.

---

* Бабель И. Конармия.

> Мне известен лишь один способ познания тайны жизни, доступный человеку, и он состоит в переживании единства; это не то знание, которое может дать мысль.

Совершенно другой способ познать тайну — это любовь. Любовь — деятельное проникновение в сущность другого человека, в котором жажда познания утоляется в акте слияния. В слиянии я познаю тебя, познаю себя и познаю всех, но это не есть знание в привычном смысле. Мне известен лишь один способ познания тайны жизни, доступный человеку, и он состоит в переживании единства; это не то знание, которое может дать мысль. Садизм мотивируется желанием узнать секрет, но садист остается столь же невежественным, как и раньше. Он разорвал другое существо на части, но все, что ему удалось, это уничтожить его. Любовь — единственный способ познания, который в процессе соединения дает ответ на поставленный вопрос. Только любя, отдавая себя, проникая в другого человека, я нахожу себя, открываю себя и нас обоих, открываю человека.

> Только зная человека достаточно объективно, я способен в акте любви познать его истинную сущность.

Жажда познания себя и познания другого человека выражена в словах Дельфийского оракула: «Познай самого себя». Это главная движущая сила всей психологии. Однако наше желание узнать все о человеке, раскрыть его сокровенный секрет никогда не может быть удовлетворено обычным способом — путем размышлений. Даже если бы мы знали о себе в тысячу раз больше, мы все равно не исчерпали бы всего. Мы сами, как и другие люди, все равно оставались бы загадкой. Единственный путь к полному знанию заключается в акте любви, выходящем за пределы мысли и пределы слова. Это — смелый прыжок в переживание единения. Однако интеллектуальные усилия и психологические знания — одно из условий полноты познания опыта любви. Я должен смотреть на себя и другого человека объективно, чтобы понять, каковы мы на самом деле, или хотя бы избавиться от иллюзий, искаженных представлений, имеющихся у меня. Только зная человека достаточно объективно, я способен в акте любви познать его истинную сущность*.

---

* Это утверждение имеет непосредственное отношение к роли психологии в современной западной культуре. Хотя интерес к психологии в большинстве случаев действительно продиктован стремлением к познанию человека, он также является сокрушительным симптомом дефицита любви в современных человеческих взаимоотношениях. Психологическое знание, таким образом, подменяет реальное знание об опыте соединения в любви, вместо того чтобы быть шагом к нему.

Проблема познания человека соотносится с проблемой познания Бога. В традиционной западной теологии делается попытка познания Бога с помощью мысли, чтобы вывести умозаключение о нем. Предполагается, что мы можем познать Бога путем размышления. В мистицизме, который порожден монотеизмом (на чем я остановлюсь позднее), от такой попытки отказываются, а вместо нее используется опыт слияния с Богом, в котором нет места — и нет надобности — в знании о Боге.

Опыт слияния с человеком или же, в религиозном смысле, с Богом ни в коей мере не является иррациональным. Напротив, как показал Альберт Швейцер, это наиболее смелое и радикальное следствие рационализма. Оно основывается на нашем знании фундаментальных, а не случайных ограничений нашего знания. Это знание того, что нам никогда не постичь тайны человека и вселенной, которую тем не менее мы можем познать в акте любви. Психология как наука имеет собственные ограничения; как логическим выводом и следствием теологии является мистицизм, так окончательным выводом из психологии является любовь.

...как логическим выводом и следствием теологии является мистицизм, так окончательным выводом из психологии является любовь.

Забота, ответственность, уважение и знание взаимно независимы. Они представляют собой комплекс установок, которые обнаруживаются у зрелой личности — личности, плодотворно развивающей свои способности, желающей иметь то, ради чего она трудится, отказавшейся от нарциссических мечтаний о всеведении и всемогуществе, обретшей смирение, основанное на внутренней силе, которую может даровать только истинно созидательная активность.

До сих пор я говорил о любви как о преодолении человеческой разобщенности, как об удовлетворении жажды единения. Однако помимо универсальной, экзистенциальной потребности в единении возникает и более специфическая, биологическая нужда: стремление к соединению мужского и женского полюсов. Идея такой поляризации наиболее ярко выражена в мифе о том, что изначально мужчина и женщина были единым целым, что это единое существо было рассечено пополам, и с тех пор каждая мужская половина ищет утраченную женскую, чтобы вновь с ней воссоединиться. (Та же идея исходного единства полов содержится в библейской истории о том, что Ева была создана из ребра Адама, хотя женщина в ней, в духе патриархата, рассматривается как нечто вторичное по сравнению с мужчиной.) Значение этого мифа совершенно ясно. Поляризация полов заставляет мужчину искать единства специфическим образом — а именно в виде союза с представительницей другого пола. Полярность между мужским и женским началами существует и *внутри* каждого мужчины и каждой женщины. Как мужчина, так и женщина физиологически обладают гормонами противоположного пола; они двуполы и в психологическом смысле. Они несут в себе принцип получения и проникновения, материи и духа. Мужчина и женщина обретают цельность только в соединении с противоположным полом. Поэтому полярность — основа всякого творчества.

Мужчина и женщина обретают цельность только в соединении с противоположным полом. Поэтому полярность — основа всякого творчества.

Противоположность мужского и женского начала несет в себе созидательную функцию. Это с очевидностью подтверждается биологически тем, что соединение сперматозоида и яйцеклетки ведет к рождению ребенка. Но нечто похожее происходит и в психологической сфере: при любви между мужчиной и женщиной каждый из них как бы рождается заново. (Гомосексуальное отклонение есть неудача в достижении этого единства противоположностей, и потому гомосексуалист неизбежно страдает от так и не преодоленного одиночества; впрочем, такая же судьба и у обычного гетеросексуала, не способного любить.)

Аналогичная противоположность мужского и женского начала существует и в природе: не только у животных и растений, но и в таких фундаментальных функциях, как получение и проникновение. Это полярность земли и дождя, реки и океана, дня и ночи, света и тьмы, материи и духа. Эту идею прекрасно выразил великий мусульманский поэт и мистик Руми.

Воистину, никогда любящий не ищет, не будучи иско́м любимой.

Когда молния любви бьет в это сердце, знай, что и в том сердце есть любовь.

Когда любовь к Богу зарождается в твоем сердце, не сомневайся: Бог любит тебя.

Одной рукой не хлопнуть без другой руки.

Божественная мудрость велела нам полюбить друг друга.

Заповедано каждой части мира быть парой своему супругу.

Мудрые видят, что небо — мужчина, а земля — женщина; земля вскармливает то, что роняет небо.

Когда земле не хватает тепла, небо посылает его; когда она утрачивает свою свежесть и влагу, небо восполняет их.

Небо вращается подобно мужу, добывающему пропитание жене своей,

А земля занята домашним женским делом: рожает и растит свои плоды.

Считай землю и небо наделенными разумом, раз выполняют они работу разумных существ.

Если не находят эти двое удовольствия друг в друге, почему они так льнут друг к другу, как влюбленные?

Без земли как произрастали бы цветы и деревья? И что бы тогда произвели на свет влага и тепло неба?

Как Бог вложил в мужчину и женщину желание, чтобы мир был скреплен их союзом,

Так вложил он в каждую часть вселенной желание искать другую часть.

Внешне день и ночь — враги, однако оба служат одной цели,

В любви взаимной сообща свои труды приумножают,

Без ночи природа мужчины не получала бы прибытка, и дню нечего стало бы тратить.

Проблема противоположности мужчины и женщины требует продолжения дискуссии по поводу любви и секса. Я и раньше указывал на ошибку Фрейда: он видел в любви исключительно выражение — или сублимацию — сексуального инстинкта, не признавая сексуальное желание проявлением человеческой потребности в любви и единении. Однако ошибка Фрейда имеет более глубокий характер. В соответствии со своим физиологическим материализмом он видит в сексуальном инстинкте результат химически вызванного телесного напряжения, болезненного и ищущего разрядки. Цель сексуального желания — устранение этого болезненного напряжения; сексуальное удовлетворение заключается в осуществлении этого устранения. Такой взгляд обоснован при условии, что сексуальное желание действует таким же образом, как голод и жажда в организме, не получающем необходимого. Согласно этой концепции, сексуальное желание — зуд, а сексуальное удовлетворение — устранение зуда. В соответствии с такой концепцией сексуальности мастурбация была бы идеальным видом сексуального удовлетворения. Что Фрейд парадоксальным образом игнорирует — так это психофизический аспект сексуальности, противоположность мужчины и женщины и желание преодолеть ее через соединение. Столь любопытная ошибка была, вероятно, порождена чрезвычайной патриархальностью Фрейда, заставлявшей его считать, что сексуальность как таковая свойственна прежде всего мужчине, и тем самым игнорировать специфически женскую сексуальность. Эту идею Фрейд выразил в своей работе «Три дополнения к теории секса», где высказал мысль, что либидо обычно имеет мужскую природу независимо от того, испытывает ли половое влечение мужчина или женщина. Та же идея выражена в рациональной форме в теории Фрейда, согласно которой маленький мальчик воспринимает женщину как кастрированного мужчину, а женщина ищет компенсации за потерю мужских гениталий. Однако женщина — это не кастрированный мужчина, ее сексуальность — специфически женская и не имеет мужской природы.

Фрейд высказал мысль, что либидо обычно имеет мужскую природу независимо от того, испытывает ли половое влечение мужчина или женщина.

Сексуальная привлекательность другого пола только отчасти мотивируется потребностью в снятии напряжения; главным образом это потребность в соединении с противоположным сексуальным полюсом. На самом деле эротическое влечение ни в коем случае не выражается лишь в сексуальном влечении. Мужественность и женственность — черты *характера*, а не только *сексуальная функция*. Мужской характер может быть определен как обладающий такими свойствами, как проникновение, лидерство, активность, дисциплина и предприимчивость; женскому характеру свойственны плодотворная восприимчивость, заботливость, реализм, терпение, материнство. (Всегда нужно иметь в виду, что в каждом индивиде смешиваются оба набора характеристик, но с преобладанием тех, которые свойственны «его» или «ее» полу.) Очень часто, когда мужские особенности характера в мужчине ослаблены, поскольку эмоционально он остается ребенком, он пытается компенсировать этот недостаток усердным подчеркиванием своей мужской роли в *сексе*. Это всем знакомый типаж донжуана: будучи не уверен в своей мужественности в характерологическом смысле, он вынужден доказывать свою мужскую доблесть победами на любовном фронте. В случае более выраженного паралича мужественности садизм (склонность к насилию) делается главной — извращенной — ее подменой. Если женская сексуальность ослаблена или извращена, она трансформируется в мазохизм или в собственничество.

Мужественность и женственность — черты *характера*, а не только *сексуальная функция*.

Фрейда критиковали за переоценку роли секса. Такая критика часто вызывалась желанием удалить из системы Фрейда некоторые элементы, особенно раздражавшие традиционно мыслящих людей. Фрейд остро чувствовал такую мотивацию и именно по этой причине сопротивлялся всяким попыткам ревизии его учения. Действительно, в то время оно носило вызывающе революционный характер. Однако то, что справедливо для начала XX века, совершенно

> Очень часто, когда мужские особенности характера в мужчине ослаблены, он пытается компенсировать этот недостаток усердным подчеркиванием своей мужской роли в *сексе*.

иначе воспринимается пятьюдесятью годами позже. Сексуальные обычаи изменились так сильно, что теория Фрейда перестала быть шокирующей для среднего класса на Западе, и заблуждаются современные ортодоксальные психоаналитики, полагая, будто они проявляют мужество и радикализм, защищая теорию секса Фрейда. На самом деле традиционный психоанализ давно утратил бунтарский дух и не решается поднимать психологические вопросы, которые могли бы привести к критике современного общества.

> ...традиционный психоанализ давно утратил бунтарский дух и не решается поднимать психологические вопросы, которые могли бы привести к критике современного общества.

Моя критика теории Фрейда заключается не в том, что он переоценивал секс, а в его неспособности понять секс достаточно глубоко. Он сделал первый шаг к раскрытию значения страстей в отношениях между людьми; в соответствии со своими философскими предпосылками он объяснял их физиологически. При дальнейшем развитии психоанализа необходимо исправить и углубить концепцию Фрейда, переведя прозрения Фрейда из физиологического в биологическое и экзистенциальное измерения*.

* Фрейд сам сделал первый шаг в этом направлении в своей позднейшей концепции инстинктов жизни и смерти. Он рассматривал первый (эрос) как источник соединения и синтеза, что совершенно не соответствовало его концепции либидо. Однако несмотря на тот факт, что теория инстинктов жизни и смерти была принята ортодоксальными аналитиками, это признание не привело к фундаментальному пересмотру концепции либидо, особенно в том, что касается клинической практики.

Любовь между родителями и детьми

Младенец в момент рождения испытывал бы страх смерти, если бы милосердная судьба не избавила его от тревоги, связанной с отделением от матери, с прекращением внутриутробного существования. Даже родившись, ребенок едва ли отличается от того, чем был до рождения; он не способен различать предметы, еще не осознает себя и внешнего мира. Он чувствует только приятные ощущения от тепла и пищи и не отделяет их от их источника — матери. Мать и есть тепло, пища, защита и эйфория от удовлетворения потребностей. Это — состояние нарциссизма, в терминологии Фрейда. Реальность внешнего мира, люди и предметы имеют значение только постольку, поскольку они удовлетворяют или фрустрируют внутреннее состояние тела ребенка. Реально только то, что внутри; все внешнее реально бывает, если отвечает или не отвечает его потребностям — и никогда в силу его собственных качеств или чьих-то нужд.

По мере того как ребенок растет и развивается, он становится способен воспринимать вещи такими, каковы они есть; удовлетворение от сытости уже не сводится к соску, грудь отделяется от матери. Со временем ребенок начинает рассматривать свою жажду, утоляющее ее молоко, грудь и мать как различные сущности. Он научается воспринимать и многие другие вещи как отличные от него, имеющие собственное существование. На этом этапе ребенок учится давать им названия. Одновременно он учится также манипулировать ими; узнает, что огонь горяч и причиняет боль, что тело матери — теплое и приятное, что дерево — твердое и тяжелое, что бумага — легкая и ее можно рвать. Ребенок уже узнает, как обращаться с другими людьми: мама мне улыбнется, когда я ем, возьмет меня на руки, когда я заплачу, похвалит, когда я покакаю. Все эти переживания кристаллизуются и объединяются в одном: *меня любят*. Меня любят, потому что я ребенок своей матери. Меня любят, потому что я беспомощный; меня любят, потому что я красивый и восхитительный. Меня любят потому, что я нужен матери. Если выразить это в более обобщенном виде: *меня любят за то, что я есть*, или, точнее, *меня любят потому, что я есть*. Этот опыт — как быть любимым матерью — пассивен. Нет ничего, что я должен был бы делать, чтобы меня любили, — любовь матери безусловна. Все, что от меня требуется, — это *быть*, быть ее ребенком. Любовь матери — блаженство, покой, ее не нужно приобретать, ее не нужно заслуживать. Однако у безусловной материнской любви есть и негативная сторона. Ее не нужно заслуживать, но она *не может* быть приобретена или вызвана и не поддается контролю. Если она есть — это благословение; если ее нет, кажется, что жизнь лишилась всей своей красоты, и нет ничего, что я мог бы сделать, чтобы ее вернуть. Для большинства детей младше 8–9 лет* проблема почти исключительно заключается в том, чтобы быть любимыми — любимыми за то, что они есть. До этого возраста ребенок еще не умеет любить сам и только с благодарностью и радостью откликается на то, что любят его. На этой стадии развития возникает теперь новый фактор: ребенок начинает чувствовать, что способен порождать любовь собственной активностью. Впервые ребенок начинает думать о том, чтобы что-то *дать* матери (или отцу), создать что-то — стихотворение, рисунок, что бы это ни было. Впервые в жизни ребенка идея любви трансформируется: не только быть любимым, но и любить, создавать любовь. И потребуется еще много лет, чтобы его любовь стала зрелой. Со временем ребенок, становясь уже подростком, научается превозмогать свой эгоцентризм; другой чело-

---

* См. описание этого развития в работе Г.С. Салливана «Интерперсональная теория в психиатрии» (Sullivan. The interpersonal theory of psychiatry. N.Y.: W.W. Norton, 1953).

век больше не является для него лишь средством удовлетворения его потребностей. Нужды других людей становятся так же важны, как его собственные, и даже важнее. Давать — более приятно и радостно, чем получать; любить — важнее, чем быть любимым. Любя, ребенок выходит из одиночной камеры, где был заточен в силу детского нарциссизма и эгоцентризма. Он испытывает чувство нового единения, общности, слияния. Более того, он обнаруживает в себе способность создавать любовь любовью, и независимо от того, насколько любят его; поэтому ему не нужно больше быть маленьким, беспомощным, больным (или «хорошим»). Инфантильная любовь следует принципу: «Я люблю, потому что меня любят». Незрелая любовь говорит: «Я люблю тебя, потому что ты мне нужен». Зрелая любовь говорит: «Ты нужен мне, потому что я тебя люблю».

Любовь матери — блаженство, покой, ее не нужно приобретать... Ее не нужно заслуживать, но она *не может* быть приобретена или вызвана и не поддается контролю.

С развитием способности любить тесно связано развитие *объекта* любви. В первые месяцы и годы жизни ребенок больше всего привязан к матери. Эта привязанность возникает еще до момента рождения, когда мать и дитя — одно целое, хоть их и двое. Рождение отчасти меняет ситуацию, но не так сильно, как кажется. Младенец, хоть и живет теперь вне материнского чрева, все еще полностью зависит от матери. Однако с каждым днем он становится все более независимым: учится ходить, говорить, самостоятельно исследовать мир; отношения с матерью в некоторой степени теряют свою жизненную важность; зато все важнее делаются отношения с отцом.

> Незрелая любовь говорит: «Я люблю тебя, потому что ты мне нужен». Зрелая любовь говорит: «Ты нужен мне, потому что я тебя люблю».

Чтобы понять это смещение от матери к отцу, нужно рассмотреть сущностное различие в качествах материнской и отцовской любви. Мы уже говорили о любви матери. Материнская любовь безусловна по самой своей сути. Мать любит новорожденного, потому что это ее дитя, а не потому, что младенец отвечает каким-то требованиям или оправдывает какие-то ее надежды. (Конечно, когда я говорю о материнской и отцовской любви, я имею в виду «идеальные типы» по Максу Веберу или архетипы по Юнгу и не предполагаю, что каждая мать и каждый отец любят именно так. Я имею в виду материнское и отцовское начала, представленные личностями матери и отца.) Безусловная любовь соответствует одной из глубочайших потребностей не только ребенка, но любого человеческого существа; к тому же, когда тебя любят за твои достоинства, потому что ты заслуживаешь любви, всегда возникают сомнения: может быть, я еще разонравлюсь человеку, любви которого так хочу, то есть существует боязнь потерять любовь. Более того, «заслуженная» любовь оставляет горькое чувство, что любят не тебя самого, а твои достоинства, и в конечном счете тебя не любят, а просто используют. Неудивительно, что все мы жаждем материнской любви — и дети, и взрослые. Большинству детей везет — они получают материнскую любовь (в какой мере, будет обсуждаться ниже). Взрослым гораздо труднее удовлетворить эту потребность. При наиболее благоприятном развитии событий такая любовь входит в состав нормальной эротической любви; часто потребность в ней находит выражение в религиозных формах, но еще чаще — в невротических проявлениях.

...«заслуженная» любовь оставляет горькое чувство, что любят не тебя самого, а твои достоинства, и в конечном счете тебя не любят, а просто используют.

Отношения с отцом совсем иные. Мать — наш родной дом, она — природа, почва, океан; отец не представляет собой такого рода естественный дом. Он мало связан с ребенком в первые годы его жизни, и его важность для ребенка в ранний период не идет ни в какое сравнение с важностью матери. Однако, хотя отец не служит выражением мира природы, он является собой другой полюс человеческого существования — полюс мысли, сделанных человеком вещей, закона и порядка, дисциплины, путешествий и приключений. Отец — это тот, кто научит ребенка, как ему войти в мир.

...отец не служит выражением мира природы... Отец — это тот, кто научит ребенка, как ему войти в мир.

С этой функцией тесно связано социоэкономическое развитие. Когда возникла частная собственность и когда она стала наследоваться одним из сыновей, отцы стали присматриваться, кому из своих сыновей они могли бы доверить свою собственность. Естественно, это был сын, которого отец считал достойным стать своим преемником, сын, который больше всего походил на отца и которого вследствие этого он больше всего любил. Отцовская любовь не безусловна. Ее принцип — «Я люблю тебя, потому что ты соответствуешь моим ожиданиям, потому что ты выполняешь свой долг, потому что ты похож на меня». В обусловленной отцовской любви мы обнаруживаем, как и в безусловной материнской, негативную и позитивную стороны. Негативная состоит в том, что отцовскую любовь нужно заслужить, и она может быть потеряна, если ребенок поступит не так, как от него ожидалось. В природе отцовской любви лежит установка, что послушание — главная добродетель, а непослушание — главный грех, и наказанием за него является лишение отцовской любви. Не менее важна и позитивная сторона: поскольку любовь отца так обусловлена, я могу что-то сделать, чтобы ее добиться, я могу ее заслужить; любовь отца зависит от меня в отличие от материнской.

> Отцовская любовь не безусловна. Ее принцип — «Я люблю тебя, потому что ты соответствуешь моим ожиданиям, потому что ты выполняешь свой долг, потому что ты похож на меня».

Отношение матери и отношение отца к ребенку отвечают его собственным потребностям. Младенцу требуются безусловная любовь матери и ее забота как в физическом, так и в психологическом смысле. Ребенок старше шести лет начинает нуждаться в любви отца, в его авторитете и руководстве. Функция матери — окружить ребенка заботой, функция отца — учить его, наставлять в решении тех проблем, с которыми ребенок сталкивается в том обществе, в котором родился. В идеальном случае материнская любовь не мешает ребенку расти, не пытается поощрять в нем беспомощность. Матери следует верить в жизнь, избегать чрезмерной тревожности и не заражать ею ребенка. Ей должно быть присуще желание, чтобы ее ребенок стал самостоятельным и со временем отделился от нее. Любовь отца должна направляться принципами и ожиданиями; он должен быть терпеливым и толерантным, а не грозным и авторитарным. Отцовская любовь должна давать растущему ребенку усиливающееся чувство компетентности, чтобы со временем позволить ему выйти из-под власти отца и самому распоряжаться своей жизнью.

> В природе отцовской любви лежит установка, что послушание — главная добродетель, а непослушание — главный грех, и наказанием за него является лишение отцовской любви.

Зрелый человек достигает такого состояния, когда сам становится себе и матерью, и отцом. Он обладает как материнским, так и отцовским сознанием. Материнское сознание говорит: «Нет такого проступка или такого преступления, которые лишили бы тебя моей любви, моего желания тебе счастья». Отцовское сознание говорит: «Ты поступил плохо и должен принять определенные последствия своего проступка, а главное, ты должен изменить свое поведение, если хочешь мне нравиться». Зрелый человек, более не стесненный присутствием матери и отца, сам выстраивает их внутри себя. В отличие от фрейдовской концепции суперэго, он не *инкорпорирует* образы матери и отца в собственную психику, но развивает материнское сознание в себе благодаря своей способности любить, а отцовское сознание — благодаря способности мыслить и судить. Более того: зрелый человек способен любить и по-матерински, и по-отцовски, несмотря на видимость противоречия. Если он сохранит в себе только отцовское сознание, то станет резким и негуманным. Если он сохранит только материнское сознание, он может утратить способность здраво судить или помешать собственному развитию и развитию других.

В таком развитии от направленной на мать привязанности к привязанности, направленной на отца, и их последующем слиянии заключается секрет психического здоровья и достижения полной зрелости. А в неудаче такого развития кроется причина неврозов. Хотя полное изложение данной идеи не входит в задачу этой книги, некоторые краткие замечания могут прояснить наше утверждение.

Одна из причин невротического развития может заключаться в том, что у мальчика оказывается любящая, но излишне снисходительная или властная мать и слабый, равнодушный отец. В таком случае у мальчика может сохраниться фиксация на ранней материнской привязанности; он разовьется в человека, зависимого от матери, чувствующего себя беспомощным, обладающего устремлениями, характерными для рецептивной личности: стремлением получать, быть защищенным, окруженным заботой; такой человек лишен отцовских качеств — дисциплины, независимости, умения распоряжаться собственной жизнью. Он может пытаться найти «мать» в ком угодно — иногда в женщинах, иногда в мужчинах, обладающих авторитетом и властью. Если, с другой стороны, мать холодна, не откликается на потребности ребенка и склонна к доминированию, ребенок может перенести потребность в материнской защите на отца, а впоследствии на иные фигуры — заместителей отца. В этом случае конечный результат окажется или сходным с предыдущим, или мальчик вырастет в человека, односторонне ориентированного на отца, полностью сосредоточенного на принципах закона, порядка и власти и лишенного способности ожидать или получать безусловную любовь. Именно так происходит, когда мать холодна, а отец авторитарен и в то же время сильно привязан к сыну. Общим для всех подобных случаев невротического развития является то, что один из принципов — отцовский или материнский — не развивается. Невроз приобретает еще более серьезный характер, когда роли отца и матери лишены определенности как в отношении других лиц, так и внутри самой личности. Дальнейшее исследование может показать, что некоторые типы неврозов и навязчивых состояний чаще возникают на основе односторонней привязанности к отцу, тогда как другие — истерия, алкоголизм, неспособность настоять на своем и распоряжаться своей жизнью, депрессии — являются результатом фиксации на матери.

Объекты любви

Любовь не является исключительно связью с конкретным человеком; она — *установка, ориентация характера*, которая определяет отношение человека к миру в целом, а не к единственному «объекту» любви. Если человек любит кого-то одного и безразличен ко всем остальным, то это не любовь, а симбиотическая привязанность или расширенная версия эгоизма. Однако большинство людей полагают, что любовь зависит от объекта, а не от способности любить. То, что они не любят никого, кроме «любимого», считается доказательством силы любви. Но это ошибка, как говорилось выше. Не понимая, что любовь — это деятельность сил души, человек думает, что достаточно только найти правильный объект, и все у них срастется. Такую установку можно сравнить с поведением человека, желающего рисовать, но, вместо того чтобы учиться этому, заявляющего, что ему нужно только найти подходящую натуру — а там уж он будет рисовать прекрасно. Если я на самом деле люблю кого-то — я люблю всех и люблю весь мир, я люблю жизнь. Если я могу сказать кому-то «Я тебя люблю», я должен быть в силах сказать: «В тебе я люблю всех, через тебя я люблю мир, в тебе я люблю и себя тоже».

> Если человек любит кого-то одного и безразличен ко всем остальным, то это не любовь, а симбиотическая привязанность или расширенная версия эгоизма.

Утверждение, что любовь — ориентация, касающаяся всех, а не кого-то одного, не означает, однако, что не существует различий между разными типами любви в зависимости от ее объекта.

> Если я на самом деле люблю кого-то — я люблю всех и люблю весь мир, я люблю жизнь.

Братская любовь

> Самой фундаментальной разновидностью любви, лежащей в основе всех ее типов, является *братская любовь*.

Самой фундаментальной разновидностью любви, лежащей в основе всех ее типов, является *братская любовь*. Под этим я понимаю чувство ответственности, заботу, уважение, понимание любого другого человеческого существа и желание помочь ему в жизни. Именно о такой любви говорится в Библии: возлюби ближнего твоего, как самого себя. Братская любовь — это любовь ко всем людям; именно такое отсутствие исключительности ее и характеризует. Если я развил в себе способность любить, я не могу не любить своих братьев. Братская любовь — это ощущение единства со всеми людьми, чувство человеческой солидарности. Братская любовь основывается на переживании того, что все мы едины. Различия в таланте, в интеллекте, знаниях несущественны по сравнению с идентичностью человеческой сути, общей для всех людей. Чтобы ощутить эту идентичность, необходимо отвлечься от различий и обратиться к сути. Если я воспринимаю другого человека поверхностно, я воспринимаю в первую очередь различия, то, что нас разъединяет. Если же я проникаю в суть, то ощущаю нашу общность, ощущаю, что мы — братья. Такая связь по сути — от центра к центру, а не от периферии до периферии — и является связью «по существу». Это прекрасно выразила Симона Вейль: «Одни и те же слова (например, мужчина говорит женщине: «Я вас люблю») могут быть либо вульгарными, либо необычайными — в зависимости от манеры их произнесения. А эта манера зависит от глубины той области бытия, из которой они исходят, так что волевое усилие здесь уже ничего не может изменить. И в силу чудесной согласованности у слушателя они затронут ту же область. Таким образом, слушатель, если он обладает проницательностью, может распознать, чего стоят эти слова»*.

Братская любовь — это любовь между равными, однако, даже будучи равными, мы не всегда «равны»; поскольку все мы люди, все мы

---

* Вейль С. Тяжесть и благодать. М.: Русский путь, 2008. С. 66. Перев. Н.В. Ликвинцевой.

порой нуждаемся в помощи. Сегодня я, завтра ты. Такая потребность в помощи не означает, что один беспомощен, а другой силен. Беспомощность — преходящее состояние; а способность держаться на собственных ногах — постоянная и общая способность.

Братская любовь — это любовь между равными, однако, даже будучи равными, мы не всегда «равны»...

Однако именно любовь к беспомощному, к бедняку и чужестранцу — начало братской любви. Любить собственную плоть и кровь — не достижение. Животные любят своих детенышей и заботятся о них. Беспомощный любит своего хозяина, поскольку от него зависит его жизнь; ребенок любит своих родителей, поскольку нуждается в них. Только в любви к тем, кто не служит какой-то цели, начинает разворачиваться истинная любовь. Не случайно в Ветхом Завете главный объект любви человека — бедняк, чужеземец, вдова и сирота, а в конце концов, и национальный враг — египтянин, идумей. Испытывая сочувствие к беспомощному, начинает человек испытывать любовь к брату своему; любя себя, он также любит того, кто нуждается в помощи, — убогого, неуверенного человека. Сочувствие предполагает элемент знания и идентификации. «Вы знаете душу пришельца... — говорит Ветхий Завет, — ибо и вы были пришельцами в земле Египетской; ... *а потому — любите его*!»*.

Только в любви к тем, кто не служит какой-то цели, начинает разворачиваться истинная любовь.

* Ту же идею высказывает Герман Коген в своей книге «Religion der Vernunft aus den Quellen des Judentums». Frankfurt am Main: J. Kaufmann Verlag, 1929.

Материнская любовь

Мы уже рассматривали природу материнской любви в предыдущей главе, когда обсуждали различие между материнской и отцовской любовью. Материнская любовь, как я говорил выше, это безусловный приоритет заботы о жизни ребенка и его потребностях. Однако к этому утверждению следует сделать одно важное добавление. Забота о жизни ребенка имеет два аспекта; один — это забота и ответственность, абсолютно необходимые для сохранения жизни и развития ребенка. Второй аспект не сводится только к сохранению и касается его развития. Это установка, прививающая ребенку жизнелюбие, дающая ему чувство, что жить хорошо, хорошо быть маленьким мальчиком или девочкой, хорошо быть на этой земле! Два аспекта материнской любви сжато представлены в библейской истории творения. Бог создает мир и человека — что соответствует простой заботе об их существовании. Однако Бог выходит за пределы этого минимума. Каждый день творения Бог завершает тем, что говорит: «Это хорошо». Так и материнская любовь на этом втором шаге заставляет ребенка чувствовать: хорошо родиться, чем внушает ребенку *любовь к жизни*, а не только желание оставаться в живых. Можно считать, что та же идея подтверждается в Библии и символически. Так земля обетованная (а земля — всегда символ матери) описывается как текущая молоком и медом. Молоко здесь символизирует первый аспект любви — заботу и надежность. А мед символизирует сладость жизни, любовь к ней и счастье быть живым. Большинство матерей способны давать «молоко», и лишь немногие — давать также и «мед». Чтобы быть в силах давать мед, женщина должна быть не только хорошей матерью, но и счастливым человеком — а такой цели достигают немногие. Невозможно преувеличить влияние этого фактора на ребенка. Материнская любовь к жизни так же заразительна, как и ее тревожность. Обе установки оказывают глубокое воздействие на всю личность ребенка; среди детей, как и среди взрослых, легко выделить тех, кто пил всего лишь «молоко», и тех, кто пил «молоко и мед».

Материнская любовь к жизни так же заразительна, как и ее тревожность. Обе установки оказывают глубокое воздействие на всю личность ребенка...

В отличие от братской и эротической любви, возникающей между равными, отношения матери и ребенка по самой своей природе отличаются неравенством: один требует помощи, другая ее предоставляет. Именно из-за своего альтруистического, бескорыстного характера материнская любовь всегда рассматривалась как высочайший тип любви, самая священная из эмоциональных уз. Представляется, однако, что материнская любовь осуществляется в полной мере не в любви к младенцу, но в любви к растущему ребенку. Действительно, подавляющее большинство женщин — любящие матери, пока ребенок мал и полностью от них зависит. Большинство женщин хотят иметь детей, радуются новорожденному и старательно за ним ухаживают. Так происходит несмотря на то, что они ничего не «получают» взамен, если не считать улыбки и выражения довольства на лице малыша. Представляется, что установка на любовь отчасти инстинктивна и потому наличествует как у животных, так и у людей. Однако как бы весом ни был этот инстинктивный фактор, существуют специфически человеческие психологические факторы, порождающие особый тип материнской любви. Один из таких факторов может придавать нарциссический оттенок материнской любви. Пока ребенок воспринимается матерью как часть ее самой, ее горячая любовь может быть удовлетворением ее нарциссизма. Другой фактор может пробудить в матери желание власти и обладания. Ребенок, будучи беспомощным и полностью послушным ее воле, может стать естественным объектом удовлетворения ее властолюбия и алчности.

> Именно из-за своего альтруистического, бескорыстного характера материнская любовь всегда рассматривалась как высочайший тип любви, самая священная из эмоциональных уз.

Как ни часто встречаются такие виды мотивации, они, возможно, менее важны и менее универсальны, чем то, что может быть названо потребностью в трансцендентности, в преодолении данности. Это одна из самых основополагающих потребностей человека, коренящаяся в его самосознании, в том, что он не удовлетворен своей ролью создания, что он не может примириться с представлением о себе как о кости, выброшенной из стаканчика. Ему необходимо почувствовать себя творцом, выйти за пределы пассивной роли того, кто был создан. Существует много способов достичь такого удовлетворения; наиболее естественный и одновременно самый легкий для матери — это заботиться и любить свое создание. Мать в ребенке выходит за собственные пределы, ее любовь к нему придает ее жизни смысл и значимость. (Напротив, биологическая неспособность мужчины удовлетворить свою потребность в трансцендентности, вынашивая детей, порождает в нем стремление превзойти себя, создавая предметы и идеи.)

...биологическая неспособность мужчины удовлетворить свою потребность в трансцендентности, вынашивая детей, порождает в нем стремление превзойти себя, создавая предметы и идеи.

Однако ребенок обязан расти. Он должен покинуть лоно матери, оторваться от материнской груди; со временем он должен стать совершенно отдельным человеческим существом. Самая суть и задача материнской любви — это вырастить ребенка, что, хочешь не хочешь, приведет к отделению ребенка от матери. Здесь кроется основное отличие материнской любви от эротической. Эротическая любовь предполагает, что два человека, которые существовали порознь, соединяются воедино. В случае материнской любви два человека, бывшие одним целым, становятся отдельными. Мать должна не только стерпеть отделение своего ребенка, но и стремиться к этому. Именно на этой стадии материнская любовь становится таким трудным делом, требующим бескорыстия, способности отдавать все, ничего не желая для себя, помимо счастья того, кого любишь. Это также та стадия, на которой многие матери терпят фиаско в своей материнской любви. Нарциссическая, властная собственница может преуспеть в том, чтобы быть «любящей» матерью, пока ребенок мал. Но только по-настоящему любящая женщина, которая бывает счастливее, отдавая, чем получая, которая прочно стоит на ногах, способна быть любящей матерью и тогда, когда ее ребенок начинает от нее отдаляться.

> ...только по-настоящему любящая женщина... способна быть любящей матерью и тогда, когда ее ребенок начинает от нее отдаляться.

Любовь матери к растущему ребенку, любовь, которая не хочет ничего для себя, является, возможно, самой трудной формой любви; она тем более обманчива из-за той легкости, с какой всякая мать любит своего младенца. Однако именно потому, что это так трудно, женщина может быть истинно любящей матерью, только если она способна *любить* — любить своего мужа, других детей, чужих людей и вообще людей. Женщина, неспособная к любви в таком смысле, может быть нежной матерью, покуда ребенок мал, но она не способна стать любящей матерью; проверкой может служить ее способность и готовность вынести отделение ребенка от себя и даже после этого продолжать его любить.

Эротическая любовь

Братская любовь — это любовь равных; материнская любовь — любовь к беспомощному. Как ни отличаются они друг от друга, общее у них то, что они по самой своей природе не ограничены одним человеком. Если я люблю своего брата, я люблю всех своих братьев; если я люблю своего ребенка, я люблю всех своих детей и всех детей, вообще всех, кто может нуждаться в моей помощи. Контрастом к этим двум типам любви служит эротическая любовь; это жажда полного слияния, соединения с другим человеком. По самой своей природе она избирательна, а не универсальна; эротическая любовь, возможно, самый обманчивый вид любви.

Во-первых, ее часто путают со взрывным ощущением влюбленности, внезапным падением барьеров, которые существовали между двумя незнакомцами до этого момента. Однако, как уже говорилось выше, такое чувство внезапной близости быстро исчезает. После того как другой человек сделался интимно близким, не остается барьеров, которые нужно преодолевать, нет внезапной близости, к которой нужно стремиться. «Любимого» человека мы знаем теперь, как самих себя, хотя лучше сказать, точно так же не знаем. Если бы наше исследование другого человека было более глубоким, если бы влюбленный мог оценить бесконечность его личности, этот человек никогда не сделался бы для нас настолько знаком, чтобы чудо преодоления барьеров не могло случаться ежедневно. Однако большинству людей их собственная личность, как и личности других, представляется исследованной и исчерпанной. Для них сближение означает прежде всего сексуальную связь. Поскольку состояние отдельности от другого человека для них в основном физическое ощущение, то телесный контакт и означает преодоление разделения.

> ...эротическая любовь, возможно, самый обманчивый вид любви.

Помимо этого, существуют и другие факторы, которые для многих означают преодоление разделения. Поговорить о собственной личной жизни, своих надеждах и тревогах, представить себя более инфантильными, найти общие интересы или обсудить мировые проблемы — все это рассматривается людьми как преодоление обособленности. Даже демонстрация гнева, ненависти, полного отсутствия сдерживающих начал часто принимается за интимность; этим может объясняться извращенная привязанность друг к другу супругов, которых сближает только постель или взаимная ненависть и ярость. Однако все эти виды близости имеют тенденцию с течением времени сходить на нет. В результате человек ищет любви очередного незнакомца. Снова незнакомец превращается в «близкого» человека, а интенсивное состояние влюбленности, воодушевлявшее и вселявшее надежды, постепенно сходит на нет. Все заканчивается желанием обрести нового партнера, новую любовь — и постоянной остается только иллюзия, что эта любовь вдруг окажется отличной от предыдущих. Возникновению таких иллюзий способствует обманчивый характер сексуального влечения.

Это влечение нацелено на слияние — и совсем не только в физическом смысле, не только ради облегчения болезненного напряжения. Сексуальное желание может порождаться не только любовью, но и боязнью одиночества, желанием завоевать или быть завоеванным, тщеславием, желанием причинить боль и даже уничтожить. По-видимому, сексуальное желание легко сливается или стимулируется любой сильной эмоцией, из которых любовь лишь частный случай. Поскольку сексуальное желание в сознании большинства людей как-то связано с представлением о любви, часто возникает ошибочное заключение, что два человека любят друг друга, когда хотят друг друга физически. Любовь может вызывать стремление к сексуальному единению; в таком случае физическая близость лишена алчности и желания завоевать или быть завоеванным и в ней обязательно присутствует нежность. Если желание физического союза не стимулируется любовью, если эротическая любовь не носит также характера братской, она никогда не ведет к слиянию большему, чем в кратковременном оргиастическом понимании. Сексуальная близость создает на короткий миг иллюзию слияния, однако без любви это «слияние» оставляет людей такими же чужими и далекими друг от друга, какими они были и раньше; порой они даже стыдятся друг друга, потому что, когда иллюзия развеивается, их отчужденность ощущается еще более остро, чем прежде. Нежность вовсе не является, как считал Фрейд, сублимацией сексуального инстинкта; это прямое проявление братской любви, и она входит в состав как физической, так и нефизической формы любви.

Сексуальное желание может порождаться не только любовью, но и боязнью одиночества, тщеславием, желанием причинить боль и даже уничтожить.

В эротической любви имеет место избирательность, которой нет в братской и материнской любви. Такой избирательный характер эротической любви нуждается в дальнейшем рассмотрении. Он часто ошибочно понимается как проявление собственничества. Часто можно обнаружить двоих, которые «любят» друг друга, но не испытывают любви больше ни к кому. И их любовь на самом деле — эгоизм вдвоем; эти два человека идентифицируют себя друг с другом и решают проблему обособленности, распространяя ее на двоих. Им кажется, что они преодолели одиночество, однако, поскольку они обособлены от остального человечества, они остаются изолированными и отчужденными друг от друга и самих себя; их ощущение единения иллюзорно. Эротическая любовь избирательна, однако в лице одного человека мы любим все человечество и все живое. Она избирательна и исключительна только в том смысле, что я могу полностью и интенсивно слиться только с одним человеком. Эротическая любовь исключает любовь к другим людям только в отношении эротического слияния, полной самоотдачи во всех смыслах, но не в смысле искренней братской любви к ним.

Эротическая любовь, если это любовь, имеет одну предпосылку: я люблю тебя из глубины своей сущности и тебя воспринимаю тоже как сущность. По сути, все человеческие существа равноценны. Все мы — часть Одного; мы и есть

> Нежность вовсе не является, как считал Фрейд, сублимацией сексуального инстинкта; это прямое проявление братской любви, и она входит в состав как физической, так и нефизической формы любви.

Одно. Раз это так, не должно составлять разницы, кого мы любим. Любовь по сути должна быть волевым актом, решением посвятить свою жизнь полностью жизни другого человека. Это и есть логическое обоснование, скрывающееся за идеей неразрешимости проблемы традиционного брака, в котором двое партнеров не выбирают друг друга, а подчиняются чужому выбору — и тем не менее ожидается, что они будут друг друга любить. В современной западной культуре такая идея представляется совершенно ложной. Предполагается, что любовь возникает в результате спонтанной эмоциональной реакции, когда людей внезапно охватывает непреодолимое чувство. При этом принимаются во внимание только личные качества индивидов, которых это касается, а не тот факт, что каждый мужчина — отчасти Адам, а каждая женщина — отчасти Ева. Игнорируется важный фактор эротической любви — фактор воли. Любить кого-то — значит не только испытывать сильное чувство; это есть волевое решение, утверждение, принятие обета. Будь любовь только чувством, не было бы оснований обещать любить вечно. Чувство приходит, но может и уйти. Как могу я утверждать, что оно сохранится навсегда, когда мое действие не включает твердого решения?

> Любовь по сути должна быть волевым актом, решением посвятить свою жизнь полностью жизни другого человека.

Приняв во внимание такие взгляды, можно было бы прийти к заключению, что любовь — исключительно акт волевого решения и долга, а потому принципиального значения не имеет, кто эти два человека. Был ли брак организован другими или был результатом личного выбора, как только он заключен, волевой акт гарантирует продолжение любви. Но такой взгляд пренебрегает парадоксальным характером человеческой природы и эротической любви. Мы все Одно — и все же каждый из нас уникальное, неповторимое существо. Поскольку мы все Одно, мы можем любить всех по-братски. Но в силу того, что мы все отличаемся друг от друга, эротическая любовь требует специфического, в высшей степени индивидуального подхода, присущего некоторым людям, но далеко не всем. Оба эти взгляда — что эротическая любовь совершенно индивидуальное влечение, уникальное для двух конкретных личностей и что эротическая любовь — всего лишь волевой акт — справедливы лишь отчасти; если выразиться более точно, истиной не является ни то, ни другое. Таким образом, представление о том, что отношения могут быть легко расторгнуты, если не устраивают одного из участников, столь же ошибочно, как и представление о том, что взаимоотношения не должны быть прекращены ни при каких обстоятельствах.

> Любить кого-то — значит не только испытывать сильное чувство; это есть волевое решение, утверждение, принятие обета.

Любовь к себе*

Хотя применение концепции любви к различным объектам не вызывает возражений, широко распространено мнение, что любовь к другим — добродетель, а любовь к себе — грех. Предполагается, что в той мере, в какой я люблю себя, я не люблю других, что любовь к себе равнозначна эгоизму. Такой взгляд давно существует в западном мышлении. Кальвин сравнивает любовь к себе с «чумой»**. Фрейд описывает любовь к себе в психиатрических терминах,

---

* Пауль Тиллих в рецензии на мою книгу «Здоровое общество» предложил отказаться от двусмысленного термина «любовь к себе» и заменить его на «естественное самоутверждение» или «парадоксальное принятие себя». Хотя я вижу определенные достоинства такого предложения, согласиться с ним я не могу. В термине «любовь к себе» парадоксальный элемент очевиден. Из него следует, что любовь — установка, одинаковая в отношении всех объектов, включая себя. Не следует также забывать, что понятие любви к себе в вышеуказанном смысле имеет долгую историю. Библия говорит о любви к себе, когда велит «любить ближнего, как самого себя»; в этом же смысле говорит о любви к себе и Майстер Экхарт.

** Calvin J. Institutes of the Christian religion. Philadelphia: Presbiterian Board of Christian Education, 1928.

но приходит к тому же выводу, что и Кальвин. Для него любовь к себе — болезненное чувство, то же самое, что нарциссизм, обращение либидо на себя. Нарциссизм — самая ранняя стадия развития человека; тот, кто в последующей жизни возвращается к нарциссической стадии, не способен на любовь; в экстремальном случае он безумен. Фрейд полагает, что любовь — это проявление либидо и что либидо в случае обращения на других есть любовь, а в случае обращения на себя — себялюбие. Таким образом, любовь и себялюбие оказываются взаимоисключающими в том смысле, что чем больше одной, тем меньше другой. Если любить себя — это плохо, значит, отсутствие любви к себе — это хорошо.

...является ли эгоизм современного человека на самом деле *заботой о себе* как об индивиде... *Идентичен ли его эгоизм любви к себе или же порожден как раз ее отсутствием*?

В связи с этим возникают вопросы: подтверждают ли психологические наблюдения существование принципиального противоречия между любовью к себе и любовью к другим? Равнозначна ли любовь к себе эгоизму, или все не так, и это противоположности? Более того, является ли эгоизм современного человека на самом деле *заботой о себе* как об индивиде, со всеми его интеллектуальными, эмоциональными и чувственными возможностями? Не стал ли «он» придатком своей социоэкономической роли? *Идентичен ли его эгоизм любви к себе или же порожден как раз ее отсутствием*?

Прежде чем мы начнем обсуждение психологических аспектов эгоизма и любви к себе, следует подчеркнуть логическую ошибку в утверждении, что любовь к другим и любовь к себе взаимоисключающи. Если любить ближнего как человеческое существо — добродетель, то должна быть добродетелью, а не грехом и любовь к себе, потому что я тоже человеческое существо. Не может существовать концепции человека, которая бы не включала меня самого. Доктрина, утверждающая такое исключение, внутренне противоречива. Идея, выраженная в библейской заповеди «Возлюби ближнего твоего, как самого себя», предполагает уважение к собственной целостности и уникальности, любовь и понимание себя, которые не могут быть отделены от уважения, любви и понимания другого человека. Любовь к собственной личности неразрывно связана с любовью к любому другому существу.

Теперь мы дошли до главной психологической предпосылки, исходя из которой мы делаем свое заключение. В общем виде эта предпосылка выглядит так: не только другие, но и мы сами являемся «объектом» наших чувств и установок; установки в отношении других и в отношении себя вовсе не противоречивы; в основе своей они связаны между собой. Применительно к обсуждаемой проблеме это означает, что любовь к другим и любовь к себе не противостоят друг другу. Напротив, установка на любовь к себе может быть обнаружена у каждого, кто способен любить других. Любовь в принципе *неделима, это связь между «объектами» любви и любящей личностью*. Искренняя любовь несет в себе созидательное начало и предполагает заботу, уважение, ответственность и знание. Она не является «аффектом» в том смысле, что не бывает результатом внешнего воздействия, а является активным желанием сделать счастливым любимого человека благодаря собственной способности любить. Любовь — это актуализация и концентрация этой способности.

Искренняя любовь несет в себе созидательное начало и предполагает заботу, уважение, ответственность и знание.

Смысл любви заключается в том, что любимый человек становится воплощением и олицетворением основополагающих человеческих качеств. Любовь к одному человеку предполагает любовь к человеку как таковому. Та разновидность «разделения труда», как называет это Уильям Джемс, вследствие которой человек любит свою семью, но равнодушен к «посторонним», есть знак ущербности и неспособности любить. Любовь к людям не является, как это часто считается, абстракцией и следствием любви к тому или иному конкретному человеку, но служит ее предпосылкой, хотя происхождением обязана любви к конкретным индивидам.

Отсюда следует, что моя собственная личность должна быть таким же объектом моей любви, как и другой человек. *Наши жизнеспособность, счастье, развитие, свобода зависят от нашей способности любить*, основанной на заботе, уважении, ответственности и знании. Если индивид способен к плодотворной любви, он любит также и себя; если он способен любить *только* других, он не способен любить вообще.

Если индивид способен к плодотворной любви, он любит также и себя; если он способен любить *только* других, он не способен любить вообще.

Приняв принцип связи между любовью к себе и любовью к другим, как можно объяснить эгоизм, который явно исключает какую-либо активную заботу о других? *Эгоистичный* человек интересуется только собой, хочет всего для себя, испытывает удовлетворение, когда берет, а не когда отдает. Внешний мир рассматривается им только с одной точки зрения: что можно от него получить; эгоист не испытывает интереса к потребностям других, не питает уважения к их достоинству и целостности. Он способен видеть только себя; он судит обо всех и обо всем исключительно по той выгоде, которую может извлечь; он в принципе не способен любить. Не доказывает ли это, что забота о других и забота о себе неизбежно оказываются альтернативой? Это было бы так, будь эгоизм и любовь к себе тождественны. Однако такое заключение как раз и является той самой ошибкой, которая ведет к столь многим неверным выводам в отношении рассматриваемой нами проблемы. *Эгоизм и любовь к себе не только не идентичны, они на самом деле взаимно противоположны*. Эгоистичный человек любит себя слишком слабо, а не слишком сильно. Отсутствие заинтересованности в себе и заботы о себе, явное нежелание что-либо созидать опустошают его и разрушают. Эгоист неизбежно несчастен и отчаянно стремится урвать у жизни удовлетворение, которое сам же не дает себе получить.

Эгоизм и любовь к себе не только не идентичны, они на самом деле взаимно противоположны.

Кажется, будто он слишком заботится о себе, но на самом деле это оказывается безуспешной попыткой прикрыть и компенсировать свою неспособность заботиться о собственном Я. Фрейд утверждает, что эгоист нарциссичен, поскольку лишает своей любви других и обращает ее на себя. *И хотя верно, что эгоистичный человек не способен любить других, он не способен любить и себя тоже.*

И хотя верно, что эгоистичный человек не способен любить других, он не способен любить и себя тоже.

Легче понять эгоизм, сравнив его с маниакальной заботой о других, что мы находим, например, у чрезмерно заботливой матери. Хотя сама она убеждена, что очень привязана к своему ребенку, на самом деле она испытывает глубоко скрытую, подавленную неприязнь к нему. Она чересчур заботлива не потому, что слишком любит ребенка, а из-за необходимости компенсировать заботой отсутствие способности любить его.

Такая теория природы эгоизма подтверждается психоаналитическими данными о невротическом «бескорыстии» — симптоме невроза, наблюдаемом у многих пациентов, обратившихся за помощью по поводу других расстройств, таких как депрессия, утомляемость, неработоспособность, неудачи в любовных взаимоотношениях. В этих случаях «бескорыстие» воспринимается ими не как симптом — напротив, зачастую оно оказывается единственной чертой характера, в которой эти люди находят себе оправдание. «Бескорыстный» человек «ничего не хочет для себя», «живет только для других», гордится тем, что не считает себя сколь-нибудь значительным. Он бывает озадачен тем, что, несмотря на свое бескорыстие, несчастен, а его отношения с самыми близкими людьми оставляют желать лучшего. Аналитическая работа показывает, что подобный альтруизм не является чем-то отдельным от других симптомов невроза, зачастую он и есть ключевое звено невроза. Пациент парализован своей неспособностью любить или наслаждаться чем бы то ни было и полон враждебности к жизни; за фасадом его бескорыстия скрывается замаскированный изощренный эгоцентризм. Вылечить такого человека можно, только если его бескорыстие будет рассматриваться в ряду других симптомов нервного расстройства и удастся скорректировать жизнеотрицающую установку, лежащую в основе как его «бескорыстия», так и других проблем.

Природа бескорыстия особенно хорошо видна в том, какое влияние оно оказывает на других; в нашей культуре нагляднее всего пример воздействия «бескорыстной» матери на детей.

Женщина полагает, что благодаря ее бескорыстию дети узнáют, что значит быть любимыми, и, в свою очередь, поймут, что значит любить. Воздействие такой матери, впрочем, совершенно не соответствует ее ожиданиям. Дети не испытывают счастья людей, уверенных в том, что их любят; они тревожны, напряжены, боятся неодобрения матери и стремятся соответствовать ее ожиданиям. Обычно на детей действует скрытая враждебность матери к жизни; они скорее чувствуют, чем осознают ее, и со временем сами проникаются ею. В целом влияние бескорыстной матери не слишком отличается от влияния матери эгоистичной; на самом деле оно даже вреднее, поскольку материнское бескорыстие не позволяет детям критиковать мать. Дети оказываются обязанными не разочаровывать ее; под маской добродетели им преподается нелюбовь к жизни. Если же рассмотреть воздействие матери, искренне любящей себя, то легко убедиться, что нет более надежного способа привить ребенку понимание того, чем являются любовь, радость и счастье, чем любовь матери, которая любит себя.

Идеи, касающиеся любви к себе, нельзя сформулировать лучше, чем то сделал Майстер Экхарт: «Если вы любите себя, вы любите других, как любите себя. До тех пор, пока вы любите другого человека меньше, чем любите себя, вы на самом деле не преуспеете в любви к себе, но если вы любите всех одинаково сильно, включая себя, вы будете любить их как одну личность, и эта личность Бог и человек одновременно. Таким образом, тот велик и праведен, кто, любя себя, любит всех остальных с той же силой».

«...тот велик и праведен, кто, любя себя, любит всех остальных с той же силой».

Любовь к Богу

Выше уже говорилось, что в основе нашей потребности в любви лежит чувство отчужденности и вытекающая из него потребность в преодолении вызванной им тревоги через соединение с другими людьми. Религиозная форма любви, называемая любовью к Богу, психологически то же самое. Она также проистекает из потребности преодолеть отчуждение и достичь слияния. Любовь к Богу не менее многогранна и разнообразна, чем любовь к людям, и имеет много разновидностей.

Во всех теистических религиях — многобожие это или единобожие — божество представляет собой высочайшую ценность, олицетворяет самое желанное благо. Поэтому специфическое значение божества зависит от того, что является самым желанным благом для человека. Понимание концепции божества, таким образом, должно начинаться с анализа структуры характера человека, ему поклоняющегося.

Развитие человеческой расы в той мере, в какой оно нам известно, может быть охарактеризовано как отделение человека от природы, от матери, от уз крови и почвы. В начале человеческой истории человек, хоть и потерявший изначальное единство с природой, еще цепляется за эти первичные узы. Он находит в них безопасность для себя. Он все еще чувствует себя тождественным с миром животных и растений и пытается обрести единство с миром, оставаясь частью природы. Об этой стадии развития свидетельствуют многие примитивные религии. Животное трансформируется в тотем; при самых торжественных религиозных обрядах или во время войн люди надевают маски животных; животные почитаются как боги. На более поздней стадии развития, когда человеческие умения достигают уровня мастерства и искусства, когда человек перестает зависеть исключительно от даров природы — плодов, которые он добывает, и животных, которых он убивает, — человек превращает в богов изделия своих собственных рук. Это стадия почитания идолов, изготовленных из глины, серебра или золота. Человек наделяет своими силами и способностями собственные изделия и тем самым в отчужденном виде поклоняется самому себе, своему мастерству и могуществу. На еще более поздней стадии человек придает своим божествам вид человеческих существ. Представляется, что это могло произойти, когда он лучше узнал себя и обнаружил, что человек — высшая и самая достойная «вещь» в мире. В этой фазе поклонения антропоморфным богам обнаруживается развитие в двух направлениях. Одно касается женской или мужской природы богов, другое — степени зрелости, достигнутой человеком и влияющей на природу этих богов и природу его любви к ним.

Сначала рассмотрим процесс развития религий и перехода от «материнских» религий к «отцовским». После фундаментальных открытий Бахофена и Моргана в середине XIX века, несмотря на их неприятие академическими кругами, уже не может оставаться сомнений в том, что в развитии религий матриархальная фаза предшествовала патриархальной, по крайней мере во многих культурах. На матриархальной стадии высшее существо — мать. Она и богиня, она и непререкаемый авторитет в семье и обществе. Чтобы понять суть матриархальной религии, нужно только вспомнить, что говорилось о материнской любви. Любовь матери безусловна, дает защиту, обволакивает человека; в силу своего безусловного характера она самовластна и не может быть приобретена. Ее наличие дает любимому матерью человеку ощущение блаженства; отсутствие вызывает чувство потерянности и полного отчаяния. Поскольку мать любит своих детей просто потому, что они — ее дети, а не потому, что они «хорошие», послушные или выполняют ее пожелания и команды, материнская любовь основана на равенстве. Все люди равны, потому что все они — дети матери, все они — дети Матери Земли.

Следующая стадия эволюции человека — единственная, о которой мы имеем достоверное знание, не нуждающееся в предположениях или реконструкции, — это патриархальная фаза. Мать лишается своего положения, и высшим существом становится отец — как в религии, так и в обществе. Природа отцовской любви заключается в том, что отец предъявляет требования, устанавливает принципы и законы, а его любовь к сыну зависит от покорности последнего. Отец больше всего любит того сына, который в наибольшей мере на него похож, который наиболее послушен и лучше всего подходит на роль преемника, наследующего собственность. (Развитие патриархального общества происходит вместе с развитием частной собственности.) Поэтому патриархальное общество иерархично — равенство братьев уступает место их соперничеству и борьбе. Говорим ли мы об индийской, египетской или греческой культурах, об иудео-христианской религии или исламе, мы оказываемся в патриархальном мире с его богами-мужчинами, над которыми царствует единственный главный бог или где все боги устраняются, кроме одного — Единого Бога. Впрочем, поскольку желание материнской любви не может быть вытеснено из сердца человека, неудивительно, что фигура любящей матери не могла быть совершенно исключена из пантеона. В иудаизме материнские аспекты Бога вновь возникают и проявляются в различных течениях мистицизма. В католицизме мать символизируется Церковью и Девой Марией. Даже в протестантизме фигура матери не вытеснена полностью и подспудно присутствует. В качестве основного принципа Лютер утверждал: ничто из *деяний* человека не может вызвать любовь Бога. Любовь Бога — благодать; религиозная установка предполагает веру в эту благодать и воззрение на себя как на существо бессильное и беспомощное; никакие добрые дела не могут повлиять на Бога и заставить его вас любить, как то утверждает католическая доктрина. Католическое представление о благих деяниях — это часть патриархальной картины: я могу вызвать любовь отца послушанием и выполнением его команд. Лютеранская доктрина, невзирая на свой вполне патриархальный характер, несет на себе также отпечаток матриархальных представлений. Материнская любовь не может быть приобретена; она или есть, или ее нет; все, что я могу сделать, — это иметь веру (как сказано у Псалмопевца: «Ты извел меня из чрева, вложил в меня упование у грудей матери моей»*) и превратиться в беспомощного, бессильного ребенка. Особенность лютеранства заключается в том, что фигура матери, будучи изъята из общей картины, заменена фигурой отца; главной чертой этой религии, вместо уверенности в мате-

---

* Псалтырь 21:10.

ринской любви, становится сомнительная надежда на безусловную любовь отца.

Необходимо было рассмотреть эти различия между матриархальными и патриархальными сторонами религии, чтобы показать, что характер любви к Богу зависит от их соотношения. Патриархальный момент заставляет меня любить Бога как отца: я считаю, что мой отец справедлив и суров, что он карает и награждает, что со временем он признает меня своим любимым сыном — как Бог избрал Авраама-Израиля, как Исаак избрал Иакова, как Бог избирает свой народ. В матриархальном отношении я люблю Бога как всеобъемлющую мать. Я верю в ее любовь, верю, что, как бы я ни был беден и бессилен, как бы я ни грешил, она будет меня любить и не будет предпочитать мне других своих детей; что бы со мной ни случилось, она меня спасет и простит. Нет нужды говорить, что моя любовь к Богу и любовь Бога ко мне не могут быть разделены. Если Бог — отец, он любит меня как сына, и я люблю его как отца. Если Бог — мать, его и моя любовь определяются этим фактом.

В матриархальном отношении я люблю Бога как всеобъемлющую мать. Я верю в ее любовь, верю, что, как бы я ни был беден и бессилен, как бы я ни грешил, она будет меня любить...

Это различие между материнским и отцовским аспектами любви к Богу является, впрочем, лишь одним фактором, определяющим природу такой любви; другим фактором является степень зрелости индивида, а тем самым характер его отношения к Богу и глубина его любви к Нему.

Поскольку эволюция человеческой расы привела к переструктурированию общества и переходу от «материнских» религий к «отцовским», мы можем проследить развитие зрелой любви по большей части в ходе становления патриархальной религии*. В начале такого развития мы обнаруживаем фигуру деспотичного и ревнивого Бога, который рассматривает созданного им человека как свою собственность и считает себя вправе делать с ним все, что угодно. Это та фаза религии, на которой Бог изгоняет человека из рая, чтобы тот не вкусил от древа познания добра и зла и таким образом не стал сам Богом; это та фаза, на которой Бог решает смыть человечество потопом, потому что ни один человек ему не мил, за исключением любимого сына Ноя; это та фаза, на которой Бог требует затем от Авраама, чтобы тот убил своего единственного любимого сына Исаака в доказательство своего абсолютного повиновения

---

* Это верно в особенности для монотеистических религий Запада. В религиях Индии фигура матери сохраняет значительное влияние — например, богиня Кали. В буддизме и даосизме концепция Бога — или Богини — не имеет принципиального значения, если вообще наличествует.

Богу. Однако одновременно начинается и новая фаза: Бог заключает завет с Ноем и обещает никогда больше не уничтожать человечество, завет, которым связан теперь сам. Бог связан не только своим обещанием, но и собственным принципом справедливости и на этом основании должен удовлетворить требование Авраама пощадить Содом, если там найдется хотя бы десять праведников. Однако завет означает нечто большее, чем превращение Бога из деспотичного племенного вождя в любящего отца, связанного установленными им самим принципами; развитие идет в направлении превращения Бога из фигуры отца в символ его принципов — справедливости, истины и любви. Бог и *есть* истина, Бог и *есть* справедливость. Бог перестает быть личностью, человеком, отцом; он становится символом принципа единства, лежащего за многообразием феноменов, образом некоего цветка, который произрастает из духовного семени внутри человека. Бог не может иметь имени. Имя всегда обозначает вещь или личность — нечто конечное. Как может Бог иметь имя, не будучи ни личностью, ни вещью?

Самый показательный пример этого изменения заключен в библейской истории откровения Бога Моисею. Когда Моисей говорит ему, что евреи не поверят в то, что его послал Бог, если он не сможет назвать им имя Бога (как могли бы идолопоклонники воспринять безымянного Бога, если самая суть идола — обладание именем?!), Бог идет на уступку. Он говорит Моисею, что его имя Сущий: «Я есмь Сущий». «Сущий» означает, что Бог бесконечен, он не личность и не «существо». Наиболее адекватный перевод был бы таким: скажи им, что мое имя — Безымянный. Запрет на изготовление изображений Бога, на произнесение его имени всуе, а со временем вообще на произнесение его имени, преследует ту же цель, что и освобождение человека от представления о Боге как об отце, как о личности. Последующее развитие теологии привело к идее о том, что о Боге невозможно даже что-либо утверждать. Сказать о Боге, что он мудр, добр, всемогущ, благ, — значит снова предполагать, что он личность; самое большее, что можно сделать, — это сказать, чем Бог *не* является, найти отрицательные определения, констатировать, что он *не* имеет границ, *не* недобр, *не* несправедлив.

> Чем больше я накапливаю знаний о том, что не есть Бог, тем больше приближаюсь к пониманию того, что есть Бог*.

Последовательное развитие идеи монотеизма и ее следствий может привести только к одному заключению: не следует вообще упоми-

* См. концепцию Маймонида об отрицательных атрибутах в его «Путеводителе растерянных».

нать имя Бога, не следует говорить о Боге. Тогда Бог становится тем, чем он потенциально и является в монотеистической теологии — безымянным Единым, совершенно невыразимым, свидетельствующим о единстве универсума и лежащим в основе всего сущего; Бог становится истиной, любовью, справедливостью. Бог — это я, в той мере, в какой я — человек.

Совершенно очевидно, что такая эволюция от антропоморфизма к монотеизму в чистом виде привела к изменению понимания природы любви к Богу. Бога Авраама можно любить или бояться, как отца; ему присуща готовность иногда прощать, иногда — гневаться. В той мере, в какой Бог — отец, я — дитя. Я не отказался еще от аутистического желания всеведения и всемогущества, не обрел объективности, позволяющей понимать свои ограничения как человеческого существа, не осознал своего невежества, своей беспомощности. Я все еще требую, как ребенок, чтобы был отец, который спасет меня, присмотрит за мной и накажет; отец, который одобрит меня, когда я послушен, которому приятны мои восхваления, который гневается, когда я непокорен. Вполне очевидно, что большинство людей в своем личностном развитии не вышло за пределы этой инфантильной стадии, и поэтому вера в Бога для них — детская иллюзия, вера в отца, который им поможет. Несмотря на то что подобное понимание было преодолено некоторыми великими учителями человечества и немногими их последователями, оно и сегодня присуще доминирующим формам религии.

В этом отношении критика идеи Бога Фрейдом совершенно справедлива. Его ошибка, однако, заключается в том, что он игнорировал другой аспект монотеистической религии и ее истинную суть, логика которой ведет как раз к отрицанию такого понимания Бога. Истинно верующий человек, проникнутый духом монотеизма, не молит ни о чем и не ожидает ничего для себя от Бога; он любит Бога не как ребенок, любящий собственных отца или мать; ему достает смирения ощущать свою ограниченность, понимать, что он ничего не может знать о Боге. Бог становится для него символом, в котором человек на более ранней стадии своей эволюции выразил все, к чему он стремится, — символом духовного мира, любви, истины и справедливости. Он верует в принципы, которые Бог олицетворяет, и видит ценность своей жизни в том, насколько полно она позволяет раскрыться и развиться его человеческому потенциалу как единственной имеющей для него значение реальности, как единственного объекта его «острого интереса»; со временем он перестает говорить о Боге, даже не упоминает его имени. Любить Бога, если бы такой человек использовал это выражение, значило бы достичь максимума своей способности любить, воплотить то, чем в нем является Бог.

> Истинно верующий человек, проникнутый духом монотеизма, не молит ни о чем и не ожидает ничего для себя от Бога...

С этой точки зрения логическое следствие монотеистической идеи — это отрицание теологии и всякого «знания о Боге». Однако сохраняется различие между этим радикальным нетеологическим воззрением и той не-теистической системой, какую мы находим, например, в раннем буддизме или даосизме.

> ...логическое следствие монотеистической идеи — это отрицание теологии и всякого «знания о Боге».

Во всех теистических системах, даже в мистических, обходящихся без теологии, существует признание реальности духовного мира как трансцендентного человеку, придающего смысл и значимость духовным силам человека и его стремлению к спасению и истинному рождению. В не-теистической системе духовный мир вне человека или трансцендентный ему не существует. Сфера любви, разума и справедливости имеет место как реальность только потому и лишь в той мере, в какой человек оказывается способен развить эти силы в себе в процессе своей эволюции. С этой точки зрения жизнь человека не имеет смысла помимо того, какой человек сам ей придает; человек совершенно одинок за исключением тех случаев, когда он помогает другому.

Говоря о любви к Богу, я хочу подчеркнуть, что сам я не мыслю в терминах теистической концепции; для меня понятие Бога исторически обусловлено: в нем человек выражает ощущение своей внутренней силы, жажду истины и единства в данный исторический период. Однако я полагаю, что выводы строгого монотеизма и не-теистическая забота о духовной реальности — это два подхода, которые, хоть и различаются, не должны бороться друг с другом.

Однако здесь мы сталкиваемся с другим измерением проблемы любви к Богу; его необходимо проанализировать, чтобы ощутить всю сложность проблемы. Я имею в виду фундаментальное различие в религиозных установках между Востоком (Китай и Индия) и Западом; это различие может быть выражено в терминах логических концепций. Со времен Аристотеля западный мир следовал логическим принципам его философии. Эта логика основывается на законах тождества (А есть А), противоречия (А не есть не-А) и исключенного третьего (А не может быть А и не-А одновременно, или ни А, ни не-А). Аристотель очень ясно излагает свою позицию: «...иметь не одно значение — значит не иметь ни одного значения; если же у слов нет (определенных) значений, тогда утрачена всякая возможность рассуждать друг с другом, а в действительности — и с самим собой; ибо невозможно ничего мыслить, если не мыслить (каждый раз) что-нибудь одно»*.

Эта аксиома аристотелевской логики настолько глубоко проникла в наше мышление, что воспринимается как «естественная» и сама собой разумеющаяся; и напротив, утверждение, что X есть *А* и не-*А*, кажется бессмысленным. (Конечно, данное утверждение относится к X в определенный момент, а не к X сейчас и не к X позднее, или к одному аспекту X в противовес другому аспекту.)

Противоположностью аристотелевской логике может служить то, что именуется *парадоксальной логикой*, полагающей, что А и не-А не исключают друг друга как предикаты X. Парадоксальная логика преобладала в китайском и индийском мышлении, в философии Гераклита, а затем под названием диалектики вошла в философию Гегеля и Маркса. Общий принцип парадоксальной психологии ясно выражен у Лао-цзы: «Слова, которые совершенно истинны, представляются парадоксальными», и Чжуан-цзы: «Я — это также не-Я, не-Я — это также Я». Эти формулировки парадоксальной логики положительны: это так и не так. Но возможна и

* Аристотель. Метафизика.

отрицательная формулировка: это ни так, ни не так. Первое выражение мы находим в даосизме, у Гераклита и в диалектике Гегеля; последнее часто встречается в индийской философии.

Хотя объем этой книги не позволяет дать более детальное описание различий между аристотелевской и парадоксальной логикой, все же приведу несколько примеров, чтобы сделать принцип более понятным. В западной философии парадоксальная логика впервые встречается у Гераклита. Он полагал, что конфликт между противоположностями есть основа всего сущего и с негодованием отзывался о тех, кто не понимал, «каким образом с самим собой расходящееся снова приходит в согласие, самовосстанавливающуюся гармонию лука и лиры». Или еще более ясно: «В ту же реку вступаем и не вступаем», потому что «на входящих в ту же самую реку набегают все новые и новые воды; *да и сами мы уже те и не те*». Или «Одно и то же может проявлять себя в разных обстоятельствах как живое и мертвое, бодрствующее и спящее, молодое и старое».

«В ту же реку вступаем и не вступаем», потому что «на входящих в ту же самую реку набегают все новые и новые воды; *да и сами мы уже те и не те*».

В философии Лао-цзы та же идея выражена в более поэтической форме. Характерными примерами даосистского парадоксального мышления являются следующие положения: «Тяжесть происходит из легкости, покой — необходимое условие движения»; «Дао постоянно осуществляет недеяние, а потому нет ничего, чего бы оно не делало»; «Мои слова легко понять и легко воплотить. Но нет никого, кто мог бы понять их и воплотить». В философии даосизма, как и в индийской философии и философии Сократа, вершиной мысли является осознание своего незнания. «Блажен, кто зная думает, что не знает, несчастен тот, кто не зная думает, что все знает и все понимает». Из этой философии следует, что высочайший Бог не может быть назван. Окончательная реальность, единое первоначало не могут быть познаны с помощью слов или в мыслях. Вот как говорит об этом Лао-цзы: «Дао, которое может быть выражено словами, не есть постоянное дао. Имя, которое может быть названо, не есть постоянное имя». Или в другой формулировке: «Смотрю на него и не вижу, а потому называю его невидимым. Слушаю его и не слышу, а потому называю его неслышимым. Пытаюсь схватить его и не достигаю, поэтому называю его мельчайшим. Не надо стремиться узнать об источнике этого, потому что оно едино». Еще одна формулировка той же идеи: «Тот, кто знает, не говорит. Тот, кто говорит, не знает».

Брахманская философия занималась отношением между множественностью (явлений) и единым (Брахманом). Однако парадоксальную философию Индии и Китая не следует путать с *дуализмом*. Гармония (Единое) заключается в конфликте своих составных частей. «Брахманское мышление с самого начала было сосредоточено на парадоксе одновременно существующих антагонистов и в то же время на идентичности действующих сил и форм феноменального мира». Первичная сила во вселенной, как и в человеке, трансцендентна в концептуальной и чувственной сфере. Поэтому «она и не то, и не это». Однако, как замечает Циммер в своей работе «Индийская философия», «нет антагонизма между «реальным и нереальным» в этом строго не-дуалистическом понимании». В своем поиске единства, кроющегося за многообразием, брахманские мыслители пришли к заключению, что воспринимаемая нами пара противоположностей отражает не природу вещей, а воспринимающий ум. Воспринимающая мысль должна выйти за собственные пределы, если стремится к познанию истинной реальности. Противопоставление — инструмент мышления, а не свойство реальной действительности. В «Ригведе» этот принцип выражен так: «Я есть два, сила жизни и материя жизни, два в одном». Конечное следствие из этой идеи — что мысль способна к восприятию только в противоречиях — имеет еще более резкое выражение в ведической философии: мысль со всеми ее тонкими особенностями есть «лишь более тонкий горизонт незнания, самый тонкий из всех неуловимых порождений майи».

> В своем поиске единства, кроющегося за многообразием, брахманские мыслители пришли к заключению, что воспринимаемая нами пара противоположностей отражает не природу вещей, а воспринимающий ум.

Парадоксальная логика серьезно отразилась на концепции Бога. Поскольку Бог представляет собой наивысшую реальность и поскольку человеческий разум воспринимает реальность в противоречиях, о Боге нельзя ничего утверждать. В ведической традиции идея всезнающего и всемогущего Бога рассматривается как крайняя степень невежества. Здесь усматривается связь с безымянностью дао, безымянным именем Бога, открывшегося Моисею, «абсолютным Ничто» Майстера Экхарта. Человек способен познать только через отрицание и никогда — посредством безусловного признания реальности. «Итак, не может вообще человек познать, что есть Бог. Одно знает он хорошо: что не есть Бог... Так не успокаивается разум ни на чем, кроме сущей истины, которая заключает в себе все вещи». Для Майстера Экхарта «Господь —

отрицание из отрицаний и отказ из отказов. Каждое творение содержит отрицание: оно отрицает, что оно — другое». Дальнейшим следствием этого является то, что для Майстера Экхарта Бог становится «абсолютным Ничто», так же как наивысшая реальность для каббалы — «En Sof», Бесконечный.

...мысль со всеми ее тонкими особенностями есть «лишь более тонкий горизонт незнания, самый тонкий из всех неуловимых порождений майи».

Я рассмотрел разницу между аристотелевской и парадоксальной логикой с целью показать важное различие во взглядах на любовь к Богу. Учителя парадоксальной логики говорят, что человек может воспринимать реальность только в противоречиях и не способен мысленно постичь высшую реальность — Единое как таковое. Отсюда следует, что человек не может ставить себе целью нахождение ответа в *мысли*. Мысль может вести только к пониманию того, что она не способна дать окончательный ответ. Мир мысли остается в ловушке этого парадокса. Единственный способ, благодаря которому мир может быть познан, лежит не в мышлении, а в действии, в переживании воссоединения. Таким образом, парадоксальная логика ведет к заключению, что любовь к Богу — это не мысленное познание Бога и не мысль о любви к Богу, а акт переживания единства с ним.

...любовь к Богу — это не мысленное познание Бога и не мысль о любви к Богу, а акт переживания единства с ним.

Отсюда следует особая важность ведения правильной жизни. Вся жизнь, от самого малого до самого важного поступка, должна быть посвящена познанию Бога, но познанию путем не правильного мышления, а правильных действий. Это ясно просматривается в восточных религиях. В брахманизме, так же как в буддизме и даосизме, окончательная цель религии — не правильные верования, а правильные поступки. То же самое всячески подчеркивается в иудаизме. Раскола в верованиях в еврейской традиции практически не было (расхождения между фарисеями и саддукеями были по сути противоречиями социальных классов). Иудейская религия всегда (особенно с начала нашей эры) настаивала на ведении праведной жизни, и еврейская галаха (дословно «правильный путь») своего рода синоним китайского пути дао.

В Новое время тот же принцип нашел выражение в трудах Спинозы, Маркса и Фрейда. В философии Спинозы основной упор сместился с правильных верований на правильный образ жизни. Маркс имел в виду то же самое, говоря, что философы по-разному объясняли мир, но задача состоит в том, чтобы его преобразовать. Парадоксальная логика привела Фрейда к практическому применению психоаналитического метода, постоянному и все более глубокому переживанию своего Я.

С точки зрения парадоксальной логики важна не мысль, а действие.

С точки зрения парадоксальной логики важна не мысль, а действие. Такая установка имеет несколько следствий. Во-первых, это ведет к *терпимости*, которую мы обнаруживаем в индийском и китайском религиозном развитии. Если правильные мысли — это не окончательная истина и не путь к спасению, нет оснований бороться с другими, чьи мысли привели их к другим формулировкам. Такая терпимость замечательно выражена в притче о том, как нескольких человек попросили в темноте описать слона. Один, схватившись за хобот, сказал: «Этот зверь похож на водяную трубу»; другой, взявшись за ухо, сказал: «Этот зверь подобен опахалу»; третий, ощупав ногу слона, сравнил его с колонной.

Во-вторых, с парадоксальной точки зрения решающее значение придавалось *преобразова-*

нию человека, а не развитию *догмы*, с одной стороны, или *науки* — с другой. С позиций индийской и китайской религии и мистических практик задача человека состоит не в том, чтобы мыслить правильно, а в том, чтобы правильно действовать и/или соединиться с Единым в акте сосредоточенной медитации.

Для основного направления западного мышления характерно обратное. Поскольку от человека ожидается, что окончательную истину он найдет в правильных мыслях, главный упор делался на мышлении, хотя правильные действия тоже считались важными. В религиозном развитии это вело к формулировке догм, к бесконечным спорам об этих формулировках, к нетерпимости в отношении «неверующих» или еретиков. Более того: это вело к взгляду на «веру в Бога» как на главную цель религиозной установки. Это, конечно, не означает, что не существовало требований вести правильную жизнь. Тем не менее тот, кто верил в Бога, — даже если он не следовал заповедям, — чувствовал свое превосходство над тем, кто жил по заповедям Бога, но не верил в него.

...тот, кто верил в Бога, — даже если он не следовал заповедям, — чувствовал свое превосходство над тем, кто жил по заповедям Бога, но не верил в него.

Особое значение, придававшееся мысли, имело и другое, исторически очень важное, следствие. Идея о том, что человек может найти истину в мысли, породила не только догму, но и науку. В научном мышлении только правильные мысли и имеют значение как в отношении интеллектуальной честности, так и в смысле применения научного мышления на практике — то есть в технике.

Короче говоря, парадоксальное мышление порождало терпимость и усилия по изменению себя. Аристотелевская позиция вела к догме и к науке — к католической церкви и к открытию энергии атома.

Последствия различий этих двух воззрений для проблемы любви к Богу уже имплицитно названы; осталось только кратко их суммировать.

В доминирующей на Западе религиозной системе любовь к Богу... — это главным образом мысленный опыт.

В доминирующей на Западе религиозной системе любовь к Богу по сути то же, что вера в Бога — вера в существование Бога, в справедливость Бога, любовь Бога. Любовь к Богу — это главным образом мысленный опыт. В восточных религиях и в мистицизме любовь к Богу — интенсивный чувственный опыт единения, неразрывно связанный с выражением этой любви в каждом жизненном акте. Наиболее радикальная формулировка этого постулата дана Майстером Экхартом: «Если бы я преобразился в Боге и Он сделал меня единым с собой, тогда, раз я в Боге живу, не было бы различий между нами... Некоторые люди воображают, что они смогут увидеть Бога — увидеть Бога, будто Он стоит там, а они здесь, но это не так. Бог и я — мы Одно. Познавая Бога, я принимаю Его в себя. Любя Бога, я проникаю в Него»*.

В восточных религиях и в мистицизме любовь к Богу — интенсивный чувственный опыт единения, неразрывно связанный с выражением этой любви в каждом жизненном акте.

Теперь мы можем вернуться к важной параллели между любовью к родителям и любовью к Богу. Младенец начинает с привязанности к матери как к основе существования. Он чувствует себя беспомощным и нуждается во всеобъемлющей материнской любви. Затем он обращается к отцу как к новому объекту любви; отец учит его управлять своими мыслями и действиями; на этой стадии ребенком движет потребность

* Майстер Экхарт (Meister Eckhart. N.Y.: Harper & Brothers, 1941).

заслужить одобрение отца и избежать его неудовольствия. По достижении зрелости человек освобождается от материнского покровительства и отцовского руководства. Он устанавливает в самом себе материнский и отцовский принципы. Он становится собственными родителями и теперь сам себе отец и мать. В истории человеческой расы мы можем видеть — и предвидеть — то же развитие: от любви к Богу как привязанности беспомощного существа к матери-Богине — через привязанность-послушание к Богу-отцу — к стадии зрелости, когда Бог перестает быть внешней силой, когда принципы любви и справедливости поселяются внутри человека, когда он становится един с Богом и тогда уже говорит о Боге только в поэтическом, символическом смысле.

Из этих соображений следует, что любовь к Богу не может быть отделена от любви к родителям. Если человек не способен отказаться от кровосмесительной привязанности к матери, клану, нации, если он сохраняет детскую зависимость от наказывающего и награждающего отца и любой другой власти, он не сможет развить в себе зрелую любовь к Богу; тогда он остается на нижних ступенях религии и богопознания, на которых Бог воспринимается как оберегающая мать или наказывающий и вознаграждающий отец.

В современных религиях мы обнаруживаем все эти стадии развития — от самых ранних и наиболее примитивных до высочайших. Слово «Бог» обозначает и племенного вождя, и «абсолютное Ничто». Точно так же каждый индивид сохраняет в себе, в своем бессознательном, как показал Фрейд, все стадии своего развития — от беспомощного младенца начиная. Вопрос заключается в том, насколько человек вырос. Одно несомненно: природа его любви к Богу соответствует природе его любви к человеку; более того, истинное качество любви к Богу и к человеку часто оказывается неосознанным, оно скрыто и рационализируется по мере все более зрелых размышлений о том, что собой представляет его любовь. Любовь к человеку, напрямую укорененная в отношении к своей семье, в конечном счете определяется структурой общества, в котором человек живет. Если социальная структура предполагает подчинение власти правителей или зависимость от рынка и общественного мнения, его понимание Бога может оказаться инфантильным и незрелым, семена основания для этого имеются в генезисе монотеистической религии.

III

Любовь и ее деградация в современном западном обществе

Если любовь — это особая способность зрелого и созидательного характера, следовательно, способность любить у индивида в любой данной культуре зависит от того влияния, которое эта культура оказывает на среднего человека. Если мы говорим о любви в современной западной культуре, мы должны задаться вопросом: способствуют ли развитию любви социальная структура западной цивилизации и создаваемая ею духовная атмосфера? Уже задать такой вопрос — значит ответить на него отрицательно. Ни один объективный наблюдатель, глядя на наш западный образ жизни, не усомнится в том, что любовь — братская, материнская, эротическая — достаточно редкий феномен, и ее место заняло множество форм псевдолюбви, являющихся в действительности формами распада и деградации любви.

Капиталистическое общество основано на принципе политической свободы, с одной

> ...любовь — братская, материнская, эротическая — достаточно редкий феномен, и ее место заняло множество форм псевдолюбви, являющихся в действительности формами распада и деградации любви.

стороны, и на рыночных отношениях как регуляторе всех экономических и социальных отношений — с другой. Рынок товаров определяет условия, по которым происходит товарообмен; рынок труда регулирует спрос и предложение рабочей силы. И полезные предметы, и полезная человеческая энергия, и умения трансформируются в товары, которые обмениваются без принуждения и обмана в условиях свободного рынка. Башмаки, полезные и нужные, не имеют экономической (обменной) ценности, если на них нет спроса на рынке; человеческая энергия и умения тоже лишены обменной ценности, если в существующих рыночных условиях на них не находится спроса. Владелец капитала может покупать труд и заставлять его работать ради получения прибыли от вложения капитала. Владелец рабочей силы вынужден продавать ее капиталисту в соответствии с существующими рыночными условиями — иначе ему придется голодать. Такая экономическая структура отражается в иерархии ценностей. Капитал распоряжается трудом; накопленные вещи — вещи мертвые — имеют более высокую ценность, чем живые труд и человеческая сила.

Капитал распоряжается трудом; накопленные вещи — вещи мертвые — имеют более высокую ценность, чем живые труд и человеческая сила.

Такой была базовая структура капитализма с момента его возникновения. Хотя она присуща и современному капитализму, с ним произошел ряд перемен, что придало ему некоторые специфические черты и оказало серьезное влияние на структуру характера современного человека. В результате развития капитализма мы наблюдаем все усиливающийся процесс централизации и концентрации капитала. Крупные предприятия делаются все больше, мелкие вытесняются. Владение капиталом, вложенным в предприятия, все больше отделяется от функции управления ими. Сотни тысяч держателей акций «владеют» предприятием; хорошо оплачиваемая управленческая бюрократия, которая предприятием не владеет, управляет им. Эта бюрократия менее заинтересована в получении максимальной прибыли, чем в расширении предприятия и собственной власти. Росту концентрации капитала и возникновению мощной управленческой бюрократии отвечает направление развития рабочего движения. Благодаря профсоюзам теперь отдельный рабочий не должен самостоятельно заключать сделку на рынке труда; рабочие объединены в крупные профсоюзы, также возглавляемые влиятельной бюрократией, представляющей их интересы в противостоянии с индустриальным колоссом. К лучшему или к худшему инициатива перешла как в сфере капитала, так и в сфере труда от индивидов к бюрократии. Огромное число людей больше не являются независимыми и попадают в зависимость от управляющих огромными экономическими империями.

Другая важная перемена, явившаяся следствием концентрации капитала и типичная для современного капитализма, состоит в специфическом способе организации труда. Чрезвычайная централизация предприятий с радикальным разделением труда ведет к такой организации труда, что индивид теряет свою индивидуальность, делается расходным материалом для машины. Положение человека в современном капиталистическом обществе можно определить вкратце следующим образом.

Современному капитализму требуется, чтобы все большие массы людей могли трудиться без помех и сбоев и стремились ко все большему и большему потреблению; их вкусы должны быть стандартизированными и потому легко прогнозируемыми и направляемыми. Капиталу требуются люди, ощущающие себя свободными и независимыми, не подчиненными какому-либо авторитету, принципу или вероисповеданию, — и при этом готовые выполнять команды, делать то, что от них ожидается, легко включаться в работу социального механизма. Ему нужны те, кем можно управлять без принуждения, кого можно направлять без лидеров, понуждать двигаться без видимой цели, а главное — не переставая что-нибудь производить, быть на ногах, функционировать, не останавливаться.

> Современному капитализму требуется, чтобы все большие массы людей могли трудиться без помех и сбоев и стремились ко все большему и большему потреблению...

Каков же итог? Современный человек отчужден от себя, от других людей и от природы*. Он превращен в товар, воспринимает свои жизненные силы как вклад, который должен принести ему максимальный доход, возможный при существующих рыночных отношениях. Поэтому человеческие связи становятся отчужденными и автоматическими, когда каждый страхует себя принадлежностью к толпе и стре-

---

* См. более детальное рассмотрение проблемы отчуждения и влияния современного общества на характер человека в книге Э. Фромма «Здоровое общество».

мится не отличаться от других своими мыслями, чувствами и поступками. Стараясь как можно меньше отличаться от окружающих, он неожиданно оказывается одинок, его одолевают чувства неуверенности, тревоги и вины, что всегда происходит, когда человеческая разобщенность не может быть преодолена. Наша цивилизация предлагает многочисленные паллиативы, помогающие людям не осознавать своего одиночества: в первую очередь это жесткая рутина бюрократизированной механической работы, позволяющая человеку игнорировать свои самые основные человеческие желания — жажду преодоления барьеров и соединения с себе подобными. Поскольку одной трудовой повинности для этого недостаточно, человек преодолевает не сознаваемое им отчаяние с помощью рутины развлечений: пассивного потребления звуковых и зрительных впечатлений, предлагаемых индустрией развлечений; удовлетворения от приобретения новых вещей и быстрой замены их на еще более новые. Современный человек близок как никогда к тому, что Хаксли изобразил в своем «Прекрасном новом мире». «Это сытый, хорошо одетый и сексуально удовлетворенный индивид, лишенный ощущения своего Я и всяких, кроме самых поверхностных, связей с другими людьми, руководствующийся принципами, которые Хаксли сформулировал так: «Когда страстями увлекаются, устои общества шатаются»; «Не откладывай на завтра то,

Современный человек... превращен в товар, воспринимает свои жизненные силы как вклад, который должен принести ему максимальный доход, возможный при существующих рыночных отношениях.

чем можешь насладиться сегодня»; и коронный лозунг: «Теперь каждый счастлив»*. Счастье человека сегодня заключается в том, чтобы «получать удовольствие». Удовольствие заключается в потреблении товаров, зрелищ, пищи, напитков, сигарет, людей, лекций, книг, фильмов — все это потребляется, поглощается, заглатывается. Весь мир — один огромный объект аппетита, большое яблоко, большая бутылка, большая грудь, а мы — сосунки, вечно ожидающие кормежки, вечно надеющиеся и вечно разочаровывающиеся. Наш характер ориентирован на то, чтобы продавать и получать, обмениваться и потреблять; все — как духовные, так и материальные — ценности делаются предметами купли-продажи и потребления.

Счастье человека сегодня заключается в том, чтобы «получать удовольствие».

* Хаксли О. О дивный новый мир. СПб.: Амфора, 1999. Перев. О. Сороки, В. Бабкова.

Ситуация с любовью неизбежно соответствует такому социальному характеру современного человека. Автоматы не могут любить; они могут обмениваться своими «личными наборами качеств» в расчете на удачную сделку. Нагляднее всего отчуждение любви, особенно в том, что касается брака, проявляется в идее «команды». В многочисленных статьях о счастливых браках идеальная семья описывается как хорошо сыгравшаяся команда. Такое описание мало отличается от ситуации с оптимально взаимодействующими наемными работниками: каждый из них должен быть «достаточно независимым», склонным к совместным действиям, толерантным, но в то же время амбициозным и агрессивным. Соответственно, как говорят консультанты по семейным отношениям, муж должен «понимать» свою жену и помогать ей. Ему следует одобрять ее новое платье и вкусный обед. Она, в свою очередь, должна относиться с пониманием, когда муж приходит домой усталый и раздраженный, должна внимательно слушать его рассказы о трудностях в бизнесе, не должна сердиться, если он забывает о ее дне рождения. Отношения такого рода сводятся к хорошо отрегулированному взаимодействию между двумя людьми, остающимися чужими друг другу всю жизнь, никогда не достигающими «глубинной связи», но вежливыми и старающимися обеспечить партнеру хорошее самочувствие.

Нагляднее всего отчуждение любви, особенно в том, что касается брака, проявляется в идее «команды».

В такой концепции любви и брака главный упор делается на том, чтобы избавить людей от невыносимого чувства одиночества. В «любви» человек находит убежище от него. Двое образуют союз против мира, и этот эгоизм «вдвоем» ошибочно принимается за любовь и близость.

Подобное внимание к командному духу, взаимной терпимости и т. д. — сравнительно недавнее явление. В годы после Первой мировой войны преобладала концепция любви, согласно которой взаимное сексуальное удовлетворение являлось гарантом удачных любовных отношений и служило основой счастливого супружества. Считалось, что причину частых несчастий в браке следует искать в том, что партнеры не соответствуют друг другу в сексуальном отношении; это объяснялось невежеством в том, что касалось «правильного» сексуального поведения и техники секса и предполагалось, что за правильным поведением последуют любовь и счастье. В основе лежала идея, согласно которой любовь — дитя сексуального удовольствия, и если два человека научатся удовлетворять друг друга сексуально, они друг друга полюбят. Это соответствовало общей иллюзии того времени, когда считалось, что правильная технология — это решение не только сугубо технических проблем промышленного производства, но и всех проблем человечества. Тогда как верно прямо противоположное.

Любовь не является результатом полноценного сексуального удовлетворения, напротив, счастье в половых отношениях — даже знание так называемой техники секса — есть результат любви. Если бы этот тезис требовал доказательств помимо повседневных наблюдений, то они могут быть обнаружены в обширных психоаналитических данных. Изучение наиболее часто встречающихся сексуальных проблем — фригидности у женщин и более или менее тяжелых форм психической импотенции у мужчин — показывает, что причина кроется не в недостаточном знании техники, а в торможении и подавлении, делающих любовь невозможной. Страх или ненависть к противоположному полу лежат в основе этих трудностей, не дающих человеку полностью отдаться, действовать спонтанно, доверять партнеру в открытом и прямом физическом контакте. Если сексуально подавленный индивид может избавиться от страха или ненависти и, таким образом, обрести способность любить, его или ее сексуальные проблемы оказываются разрешенными. Если же нет, никакое знание техники секса не поможет.

Любовь не является результатом полноценного сексуального удовлетворения, напротив, счастье в половых отношениях — даже знание так называемой техники секса — есть результат любви.

Данные психоаналитической терапии указывают на ошибочность представления, что знание правильной сексуальной техники ведет к сексуальному счастью и любви, но лежащее в его основе предположение, что любовь — это нечто, сопутствующее взаимному сексуальному удовлетворению, в значительной мере возникло под влиянием теорий Фрейда. Для Фрейда любовь была прежде всего сексуальным феноменом. «Человек, обнаружив на опыте, что сексуальная (генитальная) любовь доставляет ему величайшее удовлетворение, становясь для него примером и образцом счастья, принимается вследствие этого искать счастья путем разрядки сексуального напряжения, делая генитальный эротизм главным интересом своей жизни»*. Братская любовь, по Фрейду, есть результат сексуального желания, только в этом случае сексуальный инстинкт трансформируется в «импульс с подавленной целью»: «Любовь с подавленной целью изначально действительно была полна чувственности и остается таковой

* Фрейд З. Болезнь культуры.

в человеческом подсознании»*. Что же касается ощущения слияния, единения («океанического чувства»), являющего собой суть мистического переживания и лежащего в основе наиболее интенсивного чувства единства с другим человеком или с человечеством, оно интерпретируется Фрейдом как патологический феномен, как регрессия к состоянию раннего всеобъемлющего нарциссизма.

Любовь как сознательный феномен, как высшее проявление зрелости не являлась для Фрейда предметом исследования, поскольку, по его мнению, попросту не существовала.

Достаточно сделать еще один шаг, чтобы обнаружить, что для Фрейда любовь сама по себе — иррациональный феномен. Различия между иррациональной любовью и любовью как проявлением зрелой личности для него не существует. В статье о переносе либидо он отмечает, что это явление по сути не отличается от «нормального» проявления любви. Влюбленность всегда граничит с ненормальностью, всегда сопровождается слепотой в отношении реальности, чувственной и поведенческой персеверацией — «застреванием» на объектах, напоминающих нам что-то из

* Фрейд З. Болезнь культуры.

нашего детства. Любовь как сознательный феномен, как высшее проявление зрелости не являлась для Фрейда предметом исследования, поскольку, по его мнению, попросту не существовала.

Впрочем, было бы ошибкой переоценить влияние идей Фрейда на понимание любви как проявления сексуального влечения или, скажем так, осознанного чувства, сводящегося к сексуальному удовлетворению. По сути, причинная зависимость носит обратный характер. На Фрейда отчасти повлиял дух XIX столетия; а его идеи сделались особенно популярны в силу преобладавших после Первой мировой войны настроений. Одним из факторов, воздействовавших и на общепринятые, и на фрейдистские концепции, была реакция на строгие нравы Викторианской эпохи. Другим фактором, повлиявшим на теорию Фрейда, стало утвердившееся представление о природе человека в духе капитализма. Чтобы доказать, что капитализм соответствует естественным потребностям человека, нужно было показать, что человек по природе своей склонен к соперничеству и вражде. В то время как экономисты «доказывали» это, говоря о ненасытном стремлении к экономической выгоде, а дарвинисты — о биологическом законе выживания сильнейших, Фрейд пришел к тем же выводам, заключив, что мужчина движим безграничным сексуальным желанием, распространяющимся на всех женщин, и только давление общества препятствует ему в осуществлении этого желания. Вследствие этого мужчины неизбежно испытывают ревность в отношении друг друга, и их взаимная ревность и соперничество сохранятся, даже если все социальные и экономические причины для этого исчезнут*.

...мужчины неизбежно испытывают ревность в отношении друг друга, и их взаимная ревность и соперничество сохранятся, даже если все социальные и экономические причины для этого исчезнут.

Со временем мышление Фрейда оказалось под влиянием того типа материализма, который преобладал в XIX веке. Считалось, что субстратом для всех психических феноменов служат феномены физиологические; поэтому любовь, ненависть, амбиции, ревность объяснялись Фрейдом как проявления различных форм сексуального инстинкта. Фрейд не видел, что подлинной основой психических проявлений служит целостность человеческого существования;

* Единственным учеником Фрейда, никогда не расходившимся с учителем, был Шандор Ференци; однако и он под конец жизни изменил свои взгляды на любовь. Превосходное доказательство этого содержится в книге Изетты де Форест «Фермент любви» (de Forest I. The Leaven of Love. N.Y.: Harper & Brothers, 1954).

начинать следует с общих свойств всех людей вообще, а затем переходить к условиям их существования, продиктованным тем или иным устройством данного общества. (Решительный шаг за пределы материализма такого рода был сделан Марксом в его «историческом материализме», где ключом к пониманию человека служат не тело и не инстинкты, такие как потребность в пище или в обладании, а целостный жизненный процесс, «жизненная практика» человека.) Согласно Фрейду, полное и свободное удовлетворение всех инстинктивных желаний обеспечило бы нам психическое здоровье и счастье. Однако очевидные клинические факты показывают, что как мужчины, так и женщины, посвятившие свою жизнь неограниченному сексуальному удовлетворению, не достигают тем самым счастья и очень часто страдают от тяжелых невротических конфликтов или симптомов. Полное удовлетворение всех инстинктивных потребностей не только не является основой счастья, оно даже не гарантирует психического здоровья. Идеи Фрейда могли стать столь популярными в период после Первой мировой войны только из-за перемен, произошедших в характере капитализма при переходе от накопления к тратам: от самоограничения как средства экономического успеха к потреблению как основе постоянно расширяющегося рынка, что и должно было стать главным источником удовлетворения для тревожного индивида-автомата. Тенденция немедленного удовлетворения любого желания стала главенствовать как в сфере секса, так и в сфере материального потребления.

> Полное удовлетворение всех инстинктивных потребностей не только не является основой счастья, оно даже не гарантирует психического здоровья.

Интересно сравнить концепции Фрейда, отвечающие духу капитализма в том виде, в каком он существовал в начале XX века, с теоретическими воззрениями одного из самых блестящих современных психоаналитиков, покойного Г.С. Салливана. В его психоаналитической системе мы обнаруживаем, в противовес Фрейду, четкое разграничение сексуальности и любви.

> Тенденция немедленного удовлетворения любого желания стала главенствовать как в сфере секса, так и в сфере материального потребления.

Каково значение любви и близости в концепции Салливана? «Близость — это такой тип ситуации, касающейся двух людей, при которой актуализируются все компоненты личностной ценности. Эта актуализация требует таких отношений, которые я назвал бы сотрудничеством, под чем я понимаю осознанное приспособление поведения одного партнера к потребностям другого ради все более идентичного — т. е. все более взаимного — удовлетворения и достижения все более общего чувства безопасности»*. Если освободить пассаж Салливана от некоторой языковой сложности, то суть такой любви сводится к сотрудничеству двух людей: «Мы играем по правилам игры, чтобы сохранить свой престиж, чувство превосходства и достоинства»**.

Если фрейдистская концепция любви есть описание чувств патриархального мужчины в терминах капитализма XIX века, то определение Салливана говорит об ощущениях отчужденной и ориентированной на рыночные ценности личности XX столетия. Это описание «эгоизма на двоих», когда два человека объединяют свои интересы и вместе противостоят враждебному и

---

* Салливан Г.С. Интерперсональная теория психиатрии (Sullivan H.S. The interpersonal theory of psychiatry. N.Y.: Norton, 1953). Следует отметить, что Салливан предлагает такое определение, говоря о предподростковом возрасте (9–12 лет). Тем не менее он считает, что позднее, когда эти тенденции «получат полное развитие, они станут тем, что мы называем любовью». Салливан говорит, что такая любовь на пороге юности представляет собой «начало пути к зрелому и полностью раскрывшемуся чувству, которое определяется психиатрами как любовь».

** Там же. Другое определение любви, которое дает Салливан, таково: любовь начинается, когда потребности другого человека становятся столь же важными, как твои собственные, и такое определение выглядит менее «рыночно», чем предыдущее.

отчужденному миру. На самом деле его определение близости в принципе верно для любой взаимодействующей команды, в которой каждый «приспосабливает свое поведение к выраженным потребностям другого человека ради общих целей» (знаменательно, что Салливан говорит о *выраженных* потребностях, когда самое меньшее, что можно сказать о любви, — это что она является также откликом на *невысказанные* потребности другого).

Любовь как взаимное сексуальное удовлетворение и любовь как «работа команды» и убежище от одиночества на двоих — это «нормальные» формы разложения любви в современном западном обществе, развившаяся под его влиянием патология любви. Существуют многочисленные индивидуальные формы этой патологии, приводящие к осознанному страданию и рассматриваемые психиатрами и все большим числом людей как неврозы. Некоторые из наиболее часто встречающихся случаев кратко описаны ниже.

Любовь как взаимное сексуальное удовлетворение и любовь как «работа команды» и убежище от одиночества на двоих — это «нормальные» формы разложения любви в современном западном обществе...

Основное условие возникновения невротической любви заключается в том, что один или оба партнера остаются привязанными к фигуре родителя и во взрослой жизни переносят чувства, ожидания и страхи, когда-то испытывавшиеся в отношении отца или матери, на возлюбленного; отличающиеся этим люди так и не преодолели инфантильной связи и ищут похожей системы отношений во взрослой жизни. В подобных случаях человек остается эмоционально ребенком двух, пяти или двенадцати лет, в то время как социально и интеллектуально он соответствует своему хронологическому возрасту. В более тяжелых случаях такая эмоциональная незрелость ведет к проблемам в социальной сфере; в менее тяжелых — конфликт ограничивается сферой интимных личных отношений.

Нами уже рассматривалась структура личности, ориентированной на мать или отца, и еще один пример невротической любви касается тех мужчин, чье эмоциональное развитие застряло на инфантильной привязанности к матери. Такие мужчины — и их немало — так никогда и не были отняты от материнской груди. Они все еще чувствуют себя детьми; они стремятся к материнской защите, любви, теплу, заботе, обожанию; они желают безусловной материнской любви, любви, которая не мотивирована ничем, кроме того, что они в ней нуждаются, что они — дети своей матери, что они беспомощны. Такие мужчины часто очень нежны и очаровательны, когда стремятся влюбить в себя женщину, да и после того, как это им удалось. Однако их отношение к женщине (как, впрочем, и ко всем остальным людям) остается поверхностным и безответственным. Их цель — быть любимыми, а не любить. Мужчины такого типа обычно тщеславны и склонны более или менее откровенно строить воздушные замки. Если они находят подходящую женщину, то чувствуют себя в безопасности и на седьмом небе и могут быть чрезвычайно обаятельны, вводя всех в заблуждение. Однако, если через некоторое время женщина перестает соответствовать их фантастическим ожиданиям, начинаются конфликты и неприязнь. Если женщина не всегда восхищается ими, если она претендует на собственную жизнь, если она, в свою очередь, хочет быть любимой и защищенной, а в более тяжелом случае не желает мириться с похождениями мужа (или даже высказывать восхищение его победами), мужчина бывает глубоко уязвлен и разочарован, и объясняет это тем, что на самом деле женщина «не любит его, эгоистична, деспотична». Все, что не вписывается в образ любящей матери, воспринимается им как доказательство отсутствия любви. Такие мужчины обычно путают свое ласковое поведение и готовность угождать с искренней любовью и, таким образом, приходят к заключению, что с ними обошлись несправедливо; они воображают себя великими страдальцами любви и горько жалуются на неблагодарность партнерши.

В редких случаях такой зацикленный на образе матери мужчина может избежать тех или иных серьезных расстройств. Если его мать на самом деле безмерно любила его и опекала (возможно, была властной, но не тираничной), если он себе находит жену такого же плана, если его одаренность в какой-нибудь области оказывается способна восхищать и очаровывать людей (как иногда случается с успешными политиками), то он «хорошо адаптирован» в социальном смысле, даже не достигая высокого уровня развития. Однако в менее благоприятном случае — что, естественно, встречается чаще — его любовная жизнь, не говоря уж об общественной, приносит ему серьезное разочарование; множатся конфликты, тревога и беспокойство приводят к депрессии, когда мужчина такого типа предоставлен самому себе.

В редких случаях... зацикленный на образе матери мужчина может избежать тех или иных серьезных расстройств.

В самых тяжелых случаях патологии фиксация на матери бывает глубже и иррациональней. На таком уровне имеет место желание, символически говоря, не вернуться в защищающие объятия матери, не припасть к ее кормящей груди, но возвратиться во всеприемлющее и все поглощающее лоно. Если природа здравого рассудка требует выхода из лона в мир, природа тяжелой психической болезни заключается в привязанности к лону, стремлении быть всосанным в утробу и тем самым защищенным от жизни. Фиксация такого рода обычно возникает, когда матери относятся к своим детям как бы обволакивая их собой, лишая самостоятельности. Иногда из любви, иногда из чувства долга они стремятся удержать при себе ребенка, подростка, взрослого: тот не должен быть в силах дышать, кроме как через них; не должен быть в силах любить, кроме как на поверхностном сексуальном уровне, принижая всех остальных женщин; а главное — любой ценой не стать свободным и независимым, сделавшись вечным калекой или даже преступником.

Эта особенность деструктивной и поглощающей материнской любви — изнаночная сторона образа матери. Мать дает жизнь, и она же может забрать жизнь. Она — та, которая оживляет, и та, что уничтожает; ради любви она способна творить чудеса — и одновременно никто не может причинить большего вреда, чем она. В религиозных образах (таких как индийская богиня Кали) и в символике сновидений часто можно обнаружить эти два диаметрально противоположных аспекта матери.

> Мать дает жизнь, и она же может забрать жизнь... ради любви она способна творить чудеса — и одновременно никто не может причинить большего вреда, чем она.

Иной тип невротической патологии может быть обнаружен в случае, когда главная привязанность — отец.

Чаще всего так бывает, когда мать холодна и неприступна, в то время как отец (отчасти вследствие холодности жены) сосредоточивает всю свою привязанность и интерес на сыне. Он «хороший отец», но при этом авторитарен. Когда он доволен поведением сына, он хвалит его, делает ему подарки и проявляет ласку; когда же сын вызывает его неудовольствие, он отчитывает сына или делается холоден к нему. Сын, для которого отцовская любовь так много значит, делается рабски зависим от настроения отца. Главная цель его жизни — угодить отцу, и когда это ему удается, он чувствует счастье, уверенность в себе и удовлетворение. Однако когда он совершает ошибку, терпит неудачу или не может угодить отцу, он чувствует себя опустошенным, нелюбимым, отвергнутым. В последующей жизни такой мужчина постарается найти другого человека на роль отца, к которому он привяжется подобным же образом. Вся его жизнь становится чередой взлетов и падений в зависимости от того, удалось ли ему заслужить одобрение отца. Такие люди часто добиваются большого успеха в социальной карьере. Они совестливы, надежны, старательны — при условии, что человек, избранный ими в качестве заместителя отца, знает, как ими управлять. Однако в своих отношениях с женщинами такой мужчина остается холоден. Женщина не занимает в его жизни сколь-нибудь заметного места; он обычно относится к ней свысока, если не пренебрежительно, часто представляя это отеческой заботой о маленькой девочке. Поначалу он может произвести на женщину впечатление своей мужественностью, но затем последует все увеличивающееся разочарование, когда женщина после брака обнаружит, что ей суждено играть второстепенную роль по сравнению с фигурой отца, которая для ее мужа во всех случаях жизни остается на первом месте; иначе может быть, если жена аналогичным образом привязана к своему отцу — тогда она будет счастлива с мужем, который относится к ней как к капризному ребенку.

Более сложным оказывается невротическое расстройство в любовных отношениях, развившееся в результате ситуации, когда родители не любят друг друга, но слишком сдержанны, чтобы ссориться или открыто проявлять неудовольствие. Взаимная отстраненность мешает им быть непосредственными и в отношениях с детьми. Маленькая девочка ощущает эту атмосферу «корректности», и она не позволяет ей вступить в тесный контакт с отцом или матерью; в результате девочка испытывает озадаченность и страх. Она никогда не бывает уверена, что чувствуют и думают ее родители; в атмосфере всегда витает элемент недоговоренности, неизвестности. В результате девочка уходит в собственный мир грёз наяву, делается отстраненной и сохраняет такую же позицию в своих любовных отношениях впоследствии.

> Более сложным оказывается невротическое расстройство в любовных отношениях, развившееся в результате ситуации, когда родители не любят друг друга, но слишком сдержанны, чтобы ссориться или открыто проявлять неудовольствие.

Более того, такой уход в себя приводит к развитию тревожности, ощущению отсутствия прочной опоры в мире, что нередко проявляется в мазохистских тенденциях как единственном способе испытать острое возбуждение. Такие женщины часто предпочитают, чтобы их мужья устраивали сцены и кричали, а не вели себя более спокойно и разумно, поскольку так по крайней мере снимается тяжесть от напряжения и страха; случается, что они бессознательно провоцируют подобное поведение, чтобы положить конец мучительной для них эмоциональной нейтральности.

Другие часто встречающиеся формы иррациональной любви описаны ниже без анализа специфических факторов развития в детстве, лежащих в их основе.

Не так уж редко встречающаяся псевдолюбовь принимает форму (которая все чаще фигурирует в кинофильмах и романах как «великая любовь») любви-обожания.

Не так уж редко встречающаяся псевдолюбовь принимает форму (которая все чаще фигурирует в кинофильмах и романах как «великая любовь») любви-обожания. Если индивид не достиг уровня, на котором он чувствует собственную идентичность, самость, коренящиеся в плодотворном проявлении его сил, он склонен «боготворить» объект своей любви. Он отчужден от собственных жизненных сил и потому наделяет ими любимого человека, который почитается как средоточие добра, носитель любви, света и блаженства. При этом индивид лишает себя окончательно ощущения силы, теряет себя в любимом человеке, вместо того чтобы найти себя в нем. Поскольку никто не может долго жить в соответствии с его/ее идолопоклонническими ожиданиями, неизбежно разочарование, и как результат — поиск нового идола; иногда это обретает форму бесконечного движения по кругу. Для такого типа любви характерны внезапность и интенсивность нахлынувшего любовного чувства. Любовь-поклонение часто изображается как истинная, великая любовь; однако ее интенсивность на самом деле свидетельствует лишь об эмоциональном голоде и отчаянии идолопоклонника. Нет нужды говорить, что, когда два человека оказываются в ситуации взаимного безумного обожания, это в экстремальных случаях становится безумием вдвоем.

Любовь-поклонение часто изображается как истинная, великая любовь; однако ее интенсивность на самом деле свидетельствует лишь об эмоциональном голоде и отчаянии идолопоклонника.

Другой формой псевдолюбви является так называемая сентиментальная любовь. Ее суть состоит в том, что любовь переживается лишь в мечтах, а не в отношениях с другим — с реальным человеком здесь и сейчас. Наиболее распространенная форма такой любви может быть обнаружена в заместительном любовном удовлетворении, которое испытывает потребитель экранных и журнальных любовных историй и песен о любви. Все неосуществленные желания любви, жажда всеобъемлющей близости удовлетворяются потреблением этой продукции. Мужчина и женщина, которые в отношениях со своими супругами не способны пробиться сквозь стену отчуждения, бывают тронуты до слез счастливой или несчастной любовью киногероев. Для многих семейных пар видеть такие ситуации на экране — единственная возможность испытать любовь — не друг к другу, но сообща, в качестве свидетелей чужой «любви». До тех пор, пока любовь остается сном наяву, они способны принимать в ней участие; как только дело касается реальности — отношений двух реальных людей, — они оказываются холодны.

Мужчина и женщина, которые в отношениях со своими супругами не способны пробиться сквозь стену отчуждения, бывают тронуты до слез счастливой или несчастной любовью киногероев.

Сентиментальной любви свойственна некая аберрация памяти. Пара может быть глубоко взволнована, предаваясь воспоминаниям о своей любви в прошлом, хотя, когда это прошлое было их настоящим, они не испытывали никакой любви — как не питали и особых иллюзий о своей любви в будущем. Как часто обручившаяся пара или новобрачные мечтают о будущем любовном блаженстве, не сознавая, что в своей настоящей, сегодняшней жизни часто уже начинают утомлять друг друга! Но такая тенденция отвечает общей установке, характерной для современного человека. Он живет в прошлом или в будущем, но не в настоящем. Он сентиментально вспоминает свое детство и свою мать или планирует счастливое будущее. Когда любовь переживается заместительно, путем участия в вымышленных переживаниях других, или когда она перемещается из настоящего в прошлое или в будущее, то такая абстрактная воображаемая любовь служит наркотиком, облегчающим реальную боль одиночества и отчуждения в настоящем.

Как часто обручившаяся пара или новобрачные мечтают о будущем любовном блаженстве, не сознавая, что в своей настоящей, сегодняшней жизни часто уже начинают утомлять друг друга!

Еще одной формой невротической любви является использование *проективных механизмов* с целью сокрытия собственных проблем, заменив их озабоченностью по поводу недостатков и слабостей «возлюбленного». В этом отношении индивиды ведут себя очень сходно с группами, нациями или религиями. Они прекрасно замечают даже незначительные недостатки других и самодовольно не замечают собственных — они всегда заняты тем, чтобы обвинить или исправить кого-то другого. Когда этим занимаются двое, как это часто случается, любовные отношения трансформируются во встречное проецирование друг на друга собственных недостатков. Если я властен, нерешителен или алчен, то обвиняю в этом своего партнера и в зависимости от моего характера стремлюсь исправить его или наказать. Тот, в свою очередь, делает то же самое — и, таким образом, мы оба успешно игнорируем собственные проблемы, обрекая себя на неудачу в любых попытках их решения.

Еще одна форма проекции — это проекция собственных проблем на детей. Подобная проекция часто принимает вид пожеланий в их адрес. В таких случаях пожелания в первую очередь определяются проекцией проблем собственного существования на существование детей. Когда человек чувствует, что не сумел придать смысла своей жизни, он пытается сделать это хотя бы для своих детей. Однако как он не преуспел сам, так не преуспеет и в отношении детей. Во-первых, потому, что проблемы существования должны решаться каждым лично для себя, а не передоверяться посреднику; во-вторых, такой человек не имеет как раз тех качеств, которые нужны для того, чтобы помочь детям в поиске решения их проблем. Для целей проекции дети используются также в том случае, когда встает вопрос о расторжении неудачного брака. Обычный аргумент родителей в такой ситуации — они не могут расстаться, чтобы не лишать детей блага единой семьи. Любое подробное исследование показало бы, впрочем, что атмосфера напряжения и несчастья в такой «единой семье» более вредоносна для детей, чем был бы открытый разрыв, который научил бы их по крайней мере тому, что человек способен положить конец невыносимой ситуации, приняв мужественное решение.

> ...проблемы существования должны решаться каждым лично для себя, а не передоверяться посреднику...

Следует упомянуть также другую частую ошибку. Существует иллюзия, будто любовь непременно означает отсутствие конфликтов. Поскольку принято считать, что боли и печали следует избегать в любых обстоятельствах, люди надеются, что любовь избавляет от конфликтов. Аргументируют это люди тем, что борьба, которую они наблюдают, представляется им деструктивными перепалками, не приносящими ничего хорошего тем, кого они касаются. Однако на самом деле у большинства людей «конфликты» являются попыткой избежать *настоя-*

щих конфликтов. Они являются расхождениями по мелким или поверхностным поводам, которые по самой своей природе не приводят к прояснению или разрешению ситуации. Настоящие конфликты между двумя людьми, которые не служат сокрытию чего-то или проецированию на других, а переживаются на глубинном уровне внутренней реальности, не деструктивны. Они ведут к прояснению и катарсису, после чего оба участника конфликта обретают больше знаний и больше силы. Что еще раз подчеркивает то, что говорилось выше.

> ...у большинства людей «конфликты» являются попыткой избежать *настоящих* конфликтов.

Любовь возможна, только если два человека общаются из глубин своего существования. Только на таком уровне и обретается человеческая реальность, только здесь — сама жизнь, и здесь же — основа для любви. Любовь, переживаемая таким образом, — это постоянный вызов, а вовсе не место для отдыха; она — движение, развитие, сотрудничество; согласие или конфликт, радость или печаль — все это вторично по отношению к тому фундаментальному факту, что двое ощущают себя из самых глубин своего существования — вдвоем, что они одно целое, оставаясь каждый самим собой и не обращаясь в бегство. Есть лишь одно доказательство наличия любви: глубина взаимоотношений и сила жизни в каждом — это тот плод, по которому узнается любовь.

> Любовь... — это постоянный вызов, а вовсе не место для отдыха; она — движение, развитие, сотрудничество...

Роботы не способны любить друг друга и точно так же они не способны любить и Бога. *Упадок любви к Богу* достиг того же уровня, что и упадок любви между людьми. Этот факт явно противоречит распространенному мнению о некоем ренессансе религиозности в нашу эпоху. На мой взгляд, это абсолютное заблуждение. Я совершенно уверен, что сейчас мы, напротив (за редким исключением), наблюдаем самую настоящую регрессию к идолопоклоннической концепции Бога и трансформацию любви к Богу в отношение, соответствующее отчужденному характеру структуры общества. Регрессию к идолопоклоннической концепции Бога легко увидеть. Люди обеспокоены, лишены принципов и веры, и у них нет иной цели, кроме как продолжать движение вперед; поэтому они предпочитают оставаться детьми, надеясь, что отец или мать придут на помощь, когда в этом возникнет нужда.

> Повседневная жизнь сегодня полностью отрезана от каких-либо религиозных ценностей... Принципы, на которых основаны наши мирские усилия, — это безразличие и эгоизм (который часто именуется «индивидуализмом» или «личной инициативой»).

Правда, в религиозных культурах вроде тех, что существовали в Средневековье, средний человек тоже смотрел на Бога как на помогающих ему отца или мать. Однако одновременно он воспринимал Бога всерьез в том смысле, что самая важная цель жизни человека — жить в соответствии с принципами Бога, сделать «спасение» своей главной заботой, которой подчинены все остальные поступки. В наши дни такого уже не встретишь. Повседневная жизнь сегодня полностью отрезана от каких-либо религиозных ценностей. Она посвящена стремлению к материальным удобствам и достижению успеха на личностном рынке. Принципы, на которых основаны наши мирские усилия, — это безразличие и эгоизм (который часто именуется «индивидуализмом» или «личной инициативой»). Человека истинно религиозной культуры можно сравнить с восьмилетним ребенком, которому нужен отец-помощник, но который уже начинает применять усвоенные от него правила и знания в собственной жизни. Современный человек скорее похож на трехлетнего ребенка, который зовет отца, когда тот ему нужен, но в остальное время вполне самодостаточен и может заниматься своими игрушками.

В этом отношении — в своей инфантильной зависимости от антропоморфного образа Бога без преобразования жизни в соответствии с его заповедями, — мы ближе к примитивному племени идолопоклонников, чем к средневековой религиозной культуре. Но наша религиозная ситуация демонстрирует также черты, которые новы и свойственны только современному западному капиталистическому обществу. Я сошлюсь на утверждения, сделанные в этой книге ранее. Современный человек превратил себя в товар; он ощущает свою внутреннюю энергию как вклад, благодаря которому он получит наивысший доход с учетом своего положения и ситуации на личностном рынке. Он отчужден от себя, от других людей и от природы. Его главная цель — совершить выгодный обмен своих умений, знаний и себя самого — своего «личностного набора» качеств — с другими людьми, в равной мере стремящимися к справедливому и выгодному обмену. Жизнь не имеет другой цели, кроме движения вперед, других принципов, кроме правил справедливого обмена, и другого удовлетворения, кроме потребления.

Современный человек превратил себя в товар; он ощущает свою внутреннюю энергию как вклад, благодаря которому он получит наивысший доход с учетом своего положения и ситуации на личностном рынке.

Что в этих условиях может значить само понятие Бога? Его значение трансформировалось из исходного религиозного в то, которое отвечает требованиям отчужденной культуры, помешанной на успехе. При современном религиозном брожении вера в Бога трансформировалась в психологическое приспособление, помогающее лучше преуспеть в конкурентной борьбе.

При современном религиозном брожении вера в Бога трансформировалась в психологическое приспособление, помогающее лучше преуспеть в конкурентной борьбе.

Религия стала союзницей самовнушения и психотерапии, помогающих человеку в деловой активности. В двадцатые годы XX века человек еще не взывал к Богу ради «усовершенствования своей личности». И бестселлер 1938 года, книга Дейла Б. Карнеги «Как приобретать друзей и оказывать влияние на людей», была еще чисто светским произведением. Функцию, которую в то время выполняла книга Карнеги, сегодня выполняет величайший бестселлер преподобного Н.В. Пила «Сила позитивного мышления». В этой религиозной книге даже не ставится вопрос о том, соответствует ли воцарившаяся у нас озабоченность успехом духу монотеистической религии. Напротив, эта высочайшая цель даже не подвергается сомнению, а вера в Бога и молитва рекомендуются как средство увеличить свое процветание. Так же как современные психиатры рекомендуют служащему выглядеть счастливым, чтобы стать более привлекательным для клиентов, некоторые проповедники рекомендуют возлюбить Бога для достижения большего успеха в жизни. «Сделайте Бога своим партнером» — это значит, что Бога скорее нужно сделать компаньоном в своем бизнесе, чем соединиться с ним в любви, справедливости и истине. Как братская любовь была заменена безличным корпоративным духом, так и Бог оказался превращен в далекого от нас Генерального Директора фирмы «Вселенная, Инкорпорейтед». Вы знаете, что он есть, что он управляет предприятием (хотя, возможно, все шло бы само собой и без него), вы никогда его не видите, но признаете его руководство, в то время как сами продолжаете «играть свою роль».

Как братская любовь была заменена безличным корпоративным духом, так и Бог оказался превращен в далекого от нас Генерального Директора фирмы «Вселенная, инкорпорейтед».

IV

Практика любви

Рассмотрев теоретические аспекты искусства любить, теперь мы оказываемся перед гораздо более трудной проблемой, а именно проблемой практики искусства любить. Можно ли узнать что-то о практической стороне любого искусства, если не практиковаться в нем?

Проблема усложняется тем, что большинство наших современников, а значит, и читателей этой книги, ожидают получить указания, «как сделать это самому»; в нашем случае это значит — быть обученными тому, как любить. Боюсь, что каждый, кто возьмется за эту последнюю главу с таким ожиданием, окажется разочарован. Умение любить — это личностный опыт, который каждый может обрести только сам и только для самого себя; на самом деле едва ли найдется кто-либо, кто не имел бы такого опыта хотя бы в рудиментарном виде — как ребенок, как подросток, как взрослый. Рассмотрение практики любви может помочь только в одном: показать предпосылки овладения искусством любить, различные подходы к этому искусству и осуществление на практике этих предпосылок и подходов. Шаги к такой цели каждый может предпринять только сам, и всякая дискуссия заканчивается до того, как будет сделан решительный шаг. Однако я полагаю, что обсуждение подходов может быть полезным для овладения искусством — по крайней мере для тех, кто уже не ждет от меня «инструкций».

> Умение любить — это личностный опыт, который каждый может обрести только сам и только для самого себя...

Овладение любым искусством предполагает определенные общие требования совершенно независимо от того, будет ли то искусство плотника, врача или искусство любить. В первую очередь практика любого искусства требует *дисциплины*. Я никогда ни в чем не преуспею, если не буду вести себя дисциплинированно; все, что я стану делать, только когда буду «в настроении», может оказаться приятным хобби, но мне никогда не стать в этом деле мастером. Однако проблема заключается не только в дисциплине (скажем, упражнениях каждый день по стольку-то часов), но и в том, чтобы сама твоя жизнь дисциплинировалась. Можно подумать, что для современного человека нет ничего легче, чем привыкнуть к дисциплине. Разве не проводит он по восемь часов в день на работе, подчиняясь жесткой рутине? Дело, однако, в том, что современный человек проявляет чрезвычайно мало самодисциплины за пределами своих служебных обязанностей. Когда он не работает или не служит, он предпочитает лениться, болтаться без дела или, выражаясь более изящно, «расслабляться». Само это желание лениться есть, по существу, реакция на рутинность жизни. Именно потому, что человек вынужден восемь часов в день тратить энергию ради целей, ему чуждых, способом, не им самим избранным, а навязанным руководством и ритмом работы, он бунтует, но его бунтарство принимает инфантильную и безопасную форму потворства своим желаниям. Кроме того, восставая против диктата работодателей, он начинает испытывать недоверие к дисциплине в любом виде — как навязанной ему сверху, так и к разумной самодисциплине. Но без такой дисциплины жизнь оказывается беспорядочной, хаотичной и лишенной сосредоточенности.

> ...современный человек проявляет чрезвычайно мало самодисциплины за пределами своих служебных обязанностей.

...сосредоточенность в нашей культуре еще более редка, чем самодисциплина.

То, что сосредоточенность — необходимое условие овладения искусством, едва ли нуждается в доказательствах. Любой, кто когда-либо пробовал чему-то научиться, знает это. Однако сосредоточенность в нашей культуре еще более редка, чем самодисциплина. Напротив, едва ли где-то еще можно вести такой рассеянный образ жизни, как у нас. Вы делаете много вещей одновременно: читаете, слушаете радио, разговариваете, курите, едите, пьете. Вы — потребитель с разинутым ртом, жаждущий и готовый проглотить что угодно — кинофильм, выпивку, знание. Такое отсутствие концентрации ясно видно из того, как трудно нам оставаться наедине с собой. Сидеть спокойно, не разговаривая, не куря, не читая, не потребляя спиртных напитков, для большинства из нас просто невозможно. Они нервничают и ерзают, им нужно чем-то занять рот или руки. (Курение — один из симптомов такой неспособности сосредоточиться; сигарета занимает руки, рот, зрение и обоняние.)

Сидеть спокойно, не разговаривая, не куря, не читая, не потребляя спиртных напитков, для большинства из нас просто невозможно.

Третье условие — терпение. Опять же каждый, кто когда-либо пытался овладеть каким-либо искусством, знает, что терпение необходимо, если вы хотите чего-то добиться. Если человек стремится к быстрым результатам, он никогда не научится мастерству. Однако современному человеку терпение дается так же трудно, как дисциплина и сосредоточенность. Наша индустриальная система воспитывает в людях как раз противоположное — торопливость. Все наши машины являются быстродействующими: автомобиль и самолет быстро доставляют нас к месту назначения — и чем быстрее, тем лучше; машина, которая производит вдвое больше продукции вдвое быстрее, предпочтительнее старой, более медленной. Конечно, тому есть важные экономические причины, но, как во многих других областях, человеческие ценности определяются теперь ценностями экономическими. То, что хорошо для машин, должно быть хорошо и для человека — такова логика. Современный человек думает, что нечто ценное — свое время — он теряет, если не делает чего-то быстро; и при этом он не знает, что делать ему со временем, которое он сэкономил, кроме как убить его.

> Однако современному человеку терпение дается так же трудно, как дисциплина и сосредоточенность.

Еще одним условием успешного овладения искусством является страстная заинтересованность в этом. Если искусство не стало предметом высочайшей важности, подмастерье не станет никогда мастером, а в лучшем случае останется прилежным дилетантом. Это условие так же необходимо в искусстве любить, как и в любом другом. Представляется, впрочем, что в искусстве любить в отличие от других искусств число дилетантов превышает все мыслимые пределы.

> Современный человек думает, что нечто ценное — свое время — он теряет, если не делает чего-то быстро; и при этом он не знает, что делать ему со временем, которое он сэкономил, кроме как убить его.

Следует указать еще на одно обстоятельство в отношении общих условий овладения искусством. Обучение начинается не непосредственно, а косвенно и издалека. Человек должен научиться очень многим вещам, часто кажущимся совершенно не связанными с искусством, прежде чем он займется им самим. Подмастерье столяра начинает с обучения тому, как строгать дерево; обучающийся игре на фортепьяно начинает с гамм; дзен-буддист, который учится стрельбе из лука, начинает с дыхательных упражнений*. Если человек хочет стать мастером в любом искусстве, искусству должна быть посвящена — или по крайней мере связана с ним — вся его жизнь. Его собственная личность становится инструментом искусства и должна поддерживаться в дееспособном состоянии для решения тех специфических задач, с которыми предстоит справляться. Применительно к искусству любить — это значит, что каждый, кто стремится преуспеть в нем, должен начать с того, чтобы постараться быть дисциплинированным, сосредоточенным и терпеливым в каждый момент своей жизни.

Как можно дисциплинировать себя? Нашим дедам было бы гораздо проще ответить на этот вопрос. Они рекомендовали бы вставать рано утром, избегать ненужной роскоши, упорно трудиться. Но такой тип дисциплины обладает очевидными недостатками. Он негибок и авторитарен, сконцентрирован на добродетелях бережливости и накопления и во многих отношениях враждебен жизни. Именно реакция на такой тип дисциплины привела к возрастанию тенденции относиться с подозрением к *любой* дисциплине и противопоставлять ей ленивое потворство себе в противовес рутинной организации жизни, навязываемой восьмичасовым рабочим

---

* В отношении сосредоточенности, дисциплины, терпения и преданности делу, необходимых для овладения искусством, хочу рекомендовать читателю книгу «Дзен и искусство стрельбы из лука» Е. Херригеля (Herrigel E. Zen in the art of archery. N.Y.: Pantheon Books, 1953).

днем. Вставать в определенный час, посвящать определенное время в течение дня таким вещам, как медитация, чтение, прослушивание музыки, прогулки; не предаваться, по крайней мере больше некоторого минимума, эскапистскому времяпрепровождению вроде чтения детективов или просмотра кинофильмов, не есть и не пить слишком много — таковы простые и очевидные правила. Главное, впрочем, чтобы дисциплина не сделалась обязательством, навязанным извне, но была проявлением собственной воли человека, чтобы она стала ощущаться как нечто приятное; постепенно человек привыкнет к такому поведению и, отказавшись от него, сразу почувствует дискомфорт. Один из неприятных аспектов нашей западной концепции дисциплины (как и любой добродетели) состоит в том, что она считается нами чем-то обременительным и только в таком случае признается «благом». Тогда как на Востоке давно поняли: то, что полезно для человека — его тела и души, — должно быть также и приятным, даже если вначале приходится преодолевать некоторое сопротивление.

Главное, чтобы дисциплина не сделалась обязательством, навязанным извне, но была проявлением собственной воли человека, чтобы она стала ощущаться как нечто приятное...

> ...на Востоке давно поняли: то, что полезно для человека — его тела и души, — должно быть также и приятным...

В нашей культуре достичь сосредоточенности гораздо труднее, поскольку все вокруг, похоже, этому противится. Самый важный шаг при овладении умением сосредоточиться — это научиться быть наедине с собой без чтения, радио, курения или выпивки. Ведь научиться сосредоточиваться — значит уметь оставаться всегда самим собой, что как раз и является условием способности любить. Если я привязан к другому человеку потому, что не способен стоять на собственных ногах, он или она может быть моим спасителем, но наши отношения не будут любовью. Как ни парадоксально, условие способности любить — это способность оставаться в одиночестве. Любой, кто попытается остаться наедине с собой, обнаружит, как это трудно. Человек начинает беспокоиться, суетиться и даже ощущать нешуточную тревогу. Он будет оправдывать свое нежелание продолжать такую практику, поскольку это бесполезно, глупо, занимает слишком много времени и т. п. Он также заметит, что приходящие ему на ум мысли завладевают им. Он начнет думать о своих планах на этот день, или о трудностях на работе, или о том, куда пойти вечером, — о множестве занимающих его вещей, лишь бы не позволить своему сознанию очиститься и освободиться. Здесь на помощь может прийти несколько очень простых упражнений: например, сидеть в расслабленной позе (не безвольно, а не напрягаясь), закрыть глаза и представить себе белый экран; постараться прогнать все мешающие образы и мысли, а потом следовать за своим дыханием — не думать о нем, не контролировать его, а именно следовать — и при этом ощущать его; далее нужно постараться ощутить свое Я — свою самость, центр жизненных сил, творца своего мира. Следует делать такие упражнения на сосредоточение по крайней мере двадцать минут утром (а если удастся, то и больше) и обязательно вечером перед сном*.

Как ни парадоксально, условие способности любить — это способность оставаться в одиночестве.

Помимо таких упражнений, нужно научиться сосредоточенности во всем, что делаешь:

* Хотя существует значительное количество теорий и руководств по практике в этой области на Востоке, особенно в индийской культуре, подобные цели в последние годы стали ставить перед собой и на Западе. Наиболее значима, на мой взгляд, школа Гиндлера, в которой целью является прочувствование и осознание своего тела. Чтобы понять метод Гиндлера, см. работу Шарлотты Селвер, ее лекции и курсы в Новой школе в Нью-Йорке.

слушаешь ли музыку, читаешь ли книгу, разговариваешь ли с человеком, любуешься ли видом. То, чем человек занят в данный момент, должно быть единственным, что имеет значение, и этому делу нужно отдаваться полностью. Если человек сосредоточен, не важно, что именно он делает; как важные, так и не важные вещи создают новое ощущение реальности, потому что на них полностью сосредоточено внимание. Чтобы научиться сосредоточенности, следует по возможности избегать пустых разговоров, то есть разговоров не по существу. Если два человека говорят, как вырастить дерево, которое им обоим знакомо, или о вкусе хлеба, который они только что вместе ели, или об общей работе, то и такой разговор может быть важен при условии, что они заинтересованы в том, о чем говорят, а не рассуждают абстрактно; с другой стороны, разговор может касаться политики или религии, и все же быть пустым: так случается, когда люди говорят шаблонно, когда им безразлично то, о чем они говорят. Хочу добавить, что избегать плохой компании не менее важно, чем тривиальных разговоров. Под плохой компанией я подразумеваю не только злобных и деструктивных людей; их общества следует избегать, потому что оно вредоносно и угнетающе. Я также имею в виду общество «зомби», людей, души которых мертвы, хотя тела живы; людей, чьи мысли и разговоры

Чтобы научиться сосредоточенности, следует по возможности избегать пустых разговоров, то есть разговоров не по существу.

тривиальны; которые болтают, а не разговаривают и высказывают банальные мнения, вместо того чтобы думать. Впрочем, избегать компании таких людей не всегда бывает возможно и даже не всегда необходимо. Если человек не реагирует так, как от него ожидается, — то есть не изъясняется шаблонно и банально, а говорит прямо и по-человечески, его собеседники зачастую меняют свое поведение, чему способствует эффект неожиданности. Быть сосредоточенным в отношении других означает прежде всего умение слушать. Большинство людей слушают других и даже что-то советуют, на самом деле не слыша их. Они не воспринимают слов другого человека всерьез и своих ответов тоже не рассматривают всерьез. В результате такой разговор вызывает у них усталость. Возникает иллюзия, что они устанут еще больше, если будут слушать сосредоточенно. Однако верно

...избегать плохой компании не менее важно, чем тривиальных разговоров.

> Большинство людей слушают других и даже что-то советуют, на самом деле не слыша их.

обратное. Любое дело, если делать его сосредоточенно, делает человека более бодрым (хотя потом наступает естественная и благотворная усталость), в то время как рассеянность вызывает сонливость на работе и, напротив, трудности с засыпанием в конце дня. Быть сосредоточенным — значит жить полной жизнью в настоящем, здесь и сейчас, и, делая что-то, не думать о том, чем предстоит заняться потом. Нет нужды говорить, что сосредоточенность больше всего должна проявляться людьми, которые любят друг друга. Они должны научиться быть близкими друг другу, не ускользая и не замыкаясь, как это часто бывает. Сначала сосредоточиться бывает трудно; кажется, что этой цели никогда не удастся достичь. Что такая задача требует терпения, не нужно и говорить. Если человек не знает, что любое дело требует определенного времени, и захочет форсировать события, то ему наверняка не удастся сосредоточиться — как и овладеть искусством любить. Чтобы понять, что такое терпение, достаточно понаблюдать за ребенком, который учится ходить. Он падает и все равно снова и снова продолжает попытки; постепенно его навыки улучшаются, пока однажды он не начнет ходить не падая. Чего только не достиг бы взрослый человек, имей он терпение и сосредоточенность ребенка в делах, которые для него важны!

> Любое дело, если делать его сосредоточенно, делает человека более бодрым... в то время как рассеянность вызывает сонливость на работе и трудности с засыпанием в конце дня.

Человек не сможет научиться сосредоточенности, не научившись быть *внимательным к себе*. Что это значит? Следует ли все время думать о себе, «анализировать» себя? Если бы речь шла о том, как почувствовать машину, объяснение этого не вызвало бы особых затруднений. Любой, кто водит автомобиль, также чувствует его. Даже незначительный непривычный шум замечается нами, как и любое отклонение в работе двигателя. Водитель чувствителен к изменениям поверхности дороги, перемещениям других автомобилей впереди и сзади. Однако он не *думает* обо всех этих факторах; его ум сохраняет состояние бдительности без напряжения, открытости ко всем важным изменениям ситуации, на которой он сосредоточен, — а именно на безопасном управлении автомобилем.

Если мы рассмотрим ситуацию внимательности к другому человеку, наиболее наглядный пример мы найдем во внимательности и отзывчивости матери к ребенку. Она замечает определенные телесные изменения, потребности, беспокойство прежде, чем они бывают ясно выражены. Она просыпается, потому что ее малыш плачет, когда другой более громкий звук ее не разбудил бы. Все это значит, что мать чувствительна к проявлениям жизни ребенка; она не тревожится и не нервничает, но пребывает в состоянии бдительного равновесия, восприимчивости к любому значимому сигналу, исходящему от ребенка. Точно так же человек может быть внимателен к себе. Он испытывает, например, чувство усталости или подавленности, но, вместо того чтобы поддаться ему и усугубить печальными мыслями, которые всегда наготове, человек спрашивает себя: «Что случилось? Почему я так угнетен?» Так же бывает, когда человек замечает, что раздражен и сердится, или же предается грезам и еще как-то пытается спрятаться от действительности. В каждом случае важно осознавать свое состояние, а не стараться анализировать его тысячей способов; более того, следует прислушиваться к своему внутреннему голосу, который скажет нам — и нередко без проволочек, — почему мы сделались тревожны, угнетены или сердиты.

Обычный человек чувствителен к своему физическому состоянию; он замечает все его изменения и даже самую малую боль; обладать таким видом телесной чувствительности достаточно легко, поскольку большинство людей представляют себе, что значит чувствовать себя хорошо. Такая же чувствительность к своему психическому состоянию дается гораздо труднее, потому что многие люди никогда не встречали человека, который бы не имел проблем. Они принимают психическое состояние своих родителей и родственников или атмосферу той социальной группы, которой принадлежат, за норму, и покуда не отличаются от них, чувствуют себя нормально, не испытывая интереса к наблюдению за другими. Существует много людей, например, никогда не видевших любящего человека, или человека, отличающегося целостностью, или храбростью, или сосредоточенностью. Совершенно очевидно, что для того, чтобы быть чувствительным к себе, нужно иметь представление о полноценном человеческом существовании, но откуда человеку приобрести такой опыт, если он не имел его в детстве или позднее? Безусловно, на этот вопрос нет простого ответа; однако данный вопрос указывает на один очень важный фактор в нашей образовательной системе.

Обучая знаниям, мы упускаем обучение тому, что наиболее важно для человеческого развития: обучение, которое может быть получено только благодаря присутствию зрелого, любящего человека. В предыдущие эпохи в нашей собственной культуре или в Китае и в Индии наиболее ценим был человек, обладавший выдающимися духовными качествами. Учитель не был только — и даже в первую очередь — источником информации, в его задачу входило приобщать учащихся к определенным человеческим установкам. В современном капиталистическом обществе — то же верно и для русского коммунизма — объектом восхищения и подражания становится кто угодно, но только не носитель высоких моральных достоинств. В центре внимания публики оказываются те, кто предлагает среднему человеку те или иные суррогаты удовлетворения. Кинозвезды, шоумены, журналисты, влиятельные бизнесмены или чиновники — вот образцы толпе для подражания. Их главное достоинство состоит в том, что они фигурируют в новостях. Однако ситуация не представляется совсем безнадежной. Если учесть, что такой человек, как Альберт Швейцер, смог стать знаменитостью в Соединенных Штатах, если представить себе всевозможные способы знакомить молодежь с жизнью исторических деятелей, показывающих, чего человек может достичь как личность, а не как медийный персонаж, призванный развлекать публику, если вспомнить о великих произведениях литературы и искусства всех веков, представляется, что есть шанс сформировать представление о достойном человеческом существовании и тем самым отвратить от недостойного. Если нам не удастся сохранить представление о том, какой должна быть жизнь зрелого человека, мы действительно столкнемся с вероятностью того, что вся наша культурная традиция обрушится. Эта традиция в первую очередь основана на передаче не определенных знаний, а некоторых человеческих качеств. Если будущие поколения не увидят больше этих качеств, придет конец возникшей за пять тысячелетий культуре, даже если знания будут передаваться и совершенствоваться.

> В современном капиталистическом обществе... объектом восхищения и подражания становится кто угодно, но только не носитель высоких моральных достоинств.

До сих пор я говорил о том, что нужно для овладения *любым* искусством. Теперь приступим к рассмотрению тех качеств, которые имеют решающее значение для способности любить. В соответствии с тем, что я говорил о природе любви, главным условием является *преодоление собственного нарциссизма*. Нарциссическая ориентация — это такая ориентация, когда человек воспринимает как реальность только то, что существует в нем самом, в то время как феномены внешнего мира сами по себе реальностью не обладают, но ощущаются только с точки зрения того, полезны они или опасны для данного человека. Противостоит нарциссизму объективность — это способность видеть людей и вещи такими, *каковы они есть*, объективно, и быть в силах отличать реальную картину от той, которая формируется собственными желаниями и страхами человека. Все формы психозов демонстрируют высшую степень неспособности быть объективным. Для безумца единственная реальность та, что существует внутри его, — реальность его фобий и устремлений. Он видит внешний мир как отражение его внутреннего мира, как его проекцию. Со всеми нами происходит то же, когда мы видим сновидения. Во сне мы сами творим события и ставим драмы, являющиеся выражением наших желаний и опасений (хотя иногда наших прозрений и решений); во сне мы уверены, что продукт сновидений столь же реален, как та реальность, которую мы воспринимаем в бодрствующем состоянии.

> Если нам не удастся сохранить представление о том, какой должна быть жизнь зрелого человека, мы действительно столкнемся с вероятностью того, что вся наша культурная традиция обрушится.

Безумец или видящий сон *полностью* лишен объективного взгляда на внешний мир; однако все мы в той или иной степени безумны или видим сон; все мы имеем необъективный взгляд на мир, искаженный нашей нарциссической ориентацией. Нужно ли приводить примеры? Каждый с легкостью найдет их, наблюдая за собой и своими соседями или читая газеты. Степень патологии зависит от нарциссического искажения реальности. Женщина, например, звонит своему врачу и говорит, что она хочет побывать у него на приеме в тот же день. Врач отвечает, что сегодня он занят, но может принять ее на следующий день. Ее ответ таков: «Но, доктор, я живу всего в пяти минутах ходьбы от вашего кабинета». Она не способна понять, что это обстоятельство не сделает его менее занятым. Женщина воспринимает ситуацию нарциссически: если она экономит время, то и врач тоже его экономит; единственная существующая для нее реальность — это она сама.

Менее экстремальными — или, может, менее очевидными — являются искажения, часто возникающие в межличностных отношениях. Сколько родителей оценивают состояние ребенка по тому, насколько он послушен, насколько им в радость и т. п., вместо того чтобы узнать или хотя бы поинтересоваться, как себя ощущает сам ребенок? Сколько мужей считают своих жен деспотичными из-за того, что их привязанность к матери теперь заставляет в любой просьбе видеть посягательство на их свободу? Сколько жен считают своих мужей неумелыми и глупыми только потому, что те не соответствуют фантастическому представлению о прекрасном рыцаре, которое у них могло сложиться в детстве?

Предвзятость людей, когда дело касается иностранцев, общеизвестна. Представители других народов изображаются как испорченные и жестокие, в то время как соотечественники олицетворяют добро и благородство. Всякое действие чужака оценивается по одному стандарту, а всякое собственное — по другому. Даже добрые дела неприятеля рассматриваются как признак особого коварства, рассчитанного на то, чтобы обмануть нас и весь мир, в то время как наши злодеяния вызваны необходимостью и оправдываются теми благими целями, которым служат. Действительно, если рассмотреть отношения между странами, как и между индивидами, приходишь к заключению, что объективность — исключение, а большая или меньшая степень нарциссических искажений — правило.

Способность мыслить объективно есть разум; эмоциональная установка, определяющая разумность, есть смирение. Быть объективным и вести себя разумно получается только тогда, когда у человека имеется установка на смирение — если он отказался от мечты о всезнании и всемогуществе, которую питал, будучи ребенком.

Применительно к проблеме овладения искусством любить это означает: любовь зависит от относительного отсутствия нарциссизма и требует развития смирения, объективности и разума. Этой цели должна быть посвящена вся жизнь человека. Смирение и объективность неделимы, как любовь. Я не могу быть объективным в отношении своей семьи, если я не могу быть объективен в отношении незнакомца, и наоборот. Если я хочу овладеть искусством любви, я должен стремиться к объективности в любой ситуации и быть чувствительным к ситуациям, в которых я необъективен. Я должен стараться видеть различие между *моим* нарциссически искаженным представлением о человеке и его поведении и реальной личностью, существующей независимо от моих интересов, потребностей и страхов. Обрести способность к объективности и разумности — значит пройти половину пути к искусству любить, и обрести ее следует в отношении всех, с кем ты вступаешь в контакт. Если кто-то захочет приберечь свою объективность только для любимого и будет считать, что она не обязательна для его отношений с миром, он вскоре обнаружит, что потерпел неудачу в обоих случаях.

Обрести способность к объективности и разумности — значит пройти половину пути к искусству любить...

Способность любить зависит от способности человека отказаться от нарциссизма и от кровосмесительной привязанности к матери и роду; она зависит от способности расти, развивать созидательную ориентацию по отношению к миру и самому себе. Этот процесс рождения и выхода в мир, пробуждения требует еще одного необходимого условия — *веры*. Овладение искусством любить требует овладения также верой.

Что такое вера? Является ли она непременно верой в Бога или в религиозные доктрины? И не должна ли в силу этого быть отказом от разума и рационального мышления? Чтобы попытаться понять проблему веры, нужно сперва отделить *рациональную* веру от *иррациональной*. Под иррациональной верой я понимаю веру (в лицо или идею), основанную на подчинении иррациональному авторитету. Напротив, рациональная вера — это убеждение, основанное на собственных мыслях или чувствах. Рациональная вера — это не вера в кого-то или что-то, а уверенность и стойкость ваших убеждений. От верований такую веру отличает то, что это особая черта характера, являющаяся как бы скрепой личности.

Рациональная вера коренится в продуктивной интеллектуальной и эмоциональной активности. В рациональном мышлении, где вера, казалось бы, не имеет места, она является важным компонентом. Каким образом ученый, например, приходит к новому открытию? Начинает ли он с того, что проводит эксперимент за экспериментом, собирает факт за фактом, не имея представления о том, что ожидает найти? По-настоящему важные открытия в любой области крайне редко совершаются подобным способом. Точно так же не удастся прийти и к важным заключениям, просто следуя своей фантазии. Процесс творческого мышления в любой области человеческой деятельности часто начинается с того, что может быть названо рациональным прозрением, являющимся результатом множества предварительных исследований, аналитических размышлений и наблюдений. Когда ученому удается собрать достаточно данных или создать математическое оформление, чтобы его изначальное видение было весьма правдоподобным, можно сказать, что он дошел до предварительной гипотезы. Тщательный анализ гипотезы с целью поиска ее практического применения и сбор подтверждающих ее данных ведут к появлению более адекватной гипотезы и со временем, возможно, к ее включению в широкую теорию.

Процесс творческого мышления в любой области человеческой деятельности часто начинается с того, что может быть названо рациональным прозрением...

История науки полна примеров веры в разум и научного предвидения. Коперник, Кеплер, Галилей и Ньютон обладали неколебимой верой в разум. Во имя этой веры Бруно был сожжен на костре, а Спиноза подвергся остракизму. На каждом этапе — от рационального прозрения до создания законченной теории — *вера* необходима: вера в предвидение как в ясно сознаваемую цель, вера в гипотезу как в вероятное и правомерное предположение и вера в окончательную теорию по крайней мере до тех пор, пока она не получит признания. Такая вера основана на собственном опыте и уверенности в силе собственной мысли, на наблюдениях и способности приходить к выводам. Если иррациональная вера есть принятие чего-то только *потому*, что так считают авторитеты или большинство, то рациональная вера коренится в независимом убеждении, опирающемся на собственные плодотворные наблюдения и расчеты, *несмотря* на мнение большинства.

Мышление и способность выносить суждения не единственная область, в которой проявляется рациональная вера. В сфере человеческих отношений вера есть обязательное свойство любой значимой дружбы или любви. «Иметь веру» в другого человека — значит быть уверенным в надежности и неизменности его главных установок, в цельности его личности, в его любви. Под этим я не подразумеваю, что человек не может менять своих мнений, но его основополагающие мотивации должны оставаться теми же; например, его уважение к жизни и человеческому достоинству есть часть его личности, не подверженная изменениям.

> В сфере человеческих отношений вера есть обязательное свойство любой значимой дружбы или любви.

Ровно так же мы можем верить в себя, осознавая существование собственной личности, ее ядра, которое неизменно и которое сохраняется на протяжении всей нашей жизни, несмотря на меняющиеся обстоятельства и независимо от изменчивости мнений и чувств. Именно это ядро в реальности является нашим Я, на нем основывается наше убеждение в собственной идентичности. Без веры в сохранность нашей личности чувство идентичности оказывается под угрозой, и мы делаемся зависимы от других людей, одобрение которых становится основой для нашего чувства идентичности. Только человек, обладающий верой в себя, способен быть верным другом, поскольку он уверен в том, что и в будущем останется таким же, как сегодня, и будет чувствовать и поступать, как поступает сейчас. Вера в себя — условие нашей возможности что-то обещать, а поскольку, по словам Ницше, человек определяется его способностью обещать, вера оказывается одной из опор человеческого существования. В отношении любви значение имеет вера в собственную любовь, в свою способность вызывать любовь у других и в ее надежность.

> Только человек, обладающий верой в себя, способен быть верным другом, поскольку он уверен в том, что и в будущем останется таким же, как сегодня...

Другая сторона веры в человека касается нашей веры в возможности других людей. Наиболее рудиментарной ее формой является вера матери в своего новорожденного ребенка: в то, что он будет жить, расти, ходить и говорить. Впрочем, биологическое развитие ребенка происходит настолько закономерно, что не требует особой веры. Иначе обстоит дело с теми возможностями, которые могут и не развиться у ребенка: способность любить, умение быть счастливым, умение думать, творческие способности. Это те семена, которые прорастут и проявят себя, если существуют или созданы условия для их развития; и могут оказаться подавленными, если условия отсутствуют.

Едва ли не самым важным из таких условий является наличие веры в способности ребенка у взрослого, которому он доверяет. Наличие такой веры отличает воспитание от манипулирования. Воспитание состоит в помощи ребенку реализовать свои возможности*. Противоположностью воспитания является манипулирование, основанное на отсутствии веры в развитие способностей и на убеждении, что ребенок вырастет «хорошим», только если взрослые вложат в него то, что желательно, и подавят то, что считают нежелательным. Нет нужды в вере в робота, поскольку он неживой, у него нет собственной жизни.

> Вера в себя — условие нашей возможности что-то обещать, а поскольку, по словам Ницше, человек определяется его способностью обещать, вера оказывается одной из опор человеческого существования.

Высшим проявлением веры в других является вера в *человечество.* В западном мире такая вера нашла выражение на языке иудео-христианской религии, а на светском языке — в гуманистических, политических и социальных идеях последних полутора веков. Как и вера в ребенка, она основывается на идее о том, что потенциал человека таков, что при должных

* Слово education (обучение, образование) произошло от e-ducere — «вести вперед», т. е. развивать нечто, потенциально наличествующее.

условиях человек способен создать общественный порядок, основанный на принципах равенства, справедливости и любви. Человеку не удалось пока создать такой порядок, и поэтому убеждение, что он способен это сделать, требует веры. Однако, как всякая рациональная вера, это не благое пожелание или принятие желаемого за действительное; такая вера основана на неоспоримых свидетельствах достижений человечества в прошлом, на внутреннем убеждении каждого индивида, на устремлениях его разума и сердца.

В то время как иррациональная вера коренится в подчинении власти, всезнающей и всемогущей, и в отказе от собственной силы и власти, вера рациональная основывается на прямо противоположных началах. Мы питаем веру в разум, потому что таков результат наших собственных наблюдений и размышлений. Мы питаем веру в потенциал и возможности других, самих себя и всего человечества потому — и только потому, — что нам знакомы рост собственных возможностей, реальность собственного развития, сила власти разума и любви. Основа рациональной веры — созидательность; жить по нашей вере — значит жить плодотворно. Отсюда следует, что вера просто в силу власти, использование принуждения есть нечто обратное вере. Верить только в силу — то же самое, что не верить в развитие еще не реализованных возможностей. Это попытка предсказать будущее, основываясь только на настоящем; однако такая проекция оказывается величайшей ошибкой, полностью иррациональной в своем пренебрежении к человеческому потенциалу и развитию. У силы не может быть рациональной веры. Одни подчиняются ее власти, другие стремятся ее удержать и сохранить. Хотя многим власть силы кажется самой надежной вещью на свете, история доказала, что она — самое ненадежное из достижений человечества. Поскольку вера и сила антагонистичны, все религии и политические системы, некогда построенные на рациональной вере, приходили в упадок и теряли свое влияние, если полагались на силу или делались ее союзниками и партнерами.

Хотя многим власть силы кажется самой надежной вещью на свете, история доказала, что она — самое ненадежное из достижений человечества.

Для того чтобы иметь веру, необходимо мужество, способность идти на риск, готовность переносить боль и разочарование. Тот, кто настаивает на безопасности и уверенности как на первостепенном условии жизни, не может питать веру; кто выстраивает систему защиты и безопасности для сохранения собственности, тот неизбежно сам становится ее узником. Чтобы быть любимым и любить, нужна смелость считать определенные ценности главными — и совершать прыжок, поставив все ради этого на кон.

Такая смелость очень отличается от той, которую имел в виду знаменитый фразер Муссолини, когда выдвигал лозунг «жить опасно». Его храбрость — это храбрость нигилизма. Она основывается на деструктивной установке по отношению к жизни, на готовности отбросить жизнь в силу неспособности ее любить. Смелость отчаяния противоположна смелости любви точно так же, как вера в силу противоположна вере в жизнь.

Смелость отчаяния противоположна смелости любви точно так же, как вера в силу противоположна вере в жизнь.

Есть ли что-то, в чем необходимо преуспеть ради веры и мужества? Вера — такая вещь, что может понадобиться в любой ситуации. Для воспитания ребенка нужна вера; для того чтобы уснуть, тоже нужна вера; чтобы начать любую работу, нужна вера. Однако мы все привычны к вере такого рода. Любой, кто ее не питает, страдает от чрезмерной тревожности по поводу своего ребенка, или от бессонницы, или от неспособности к созидательному труду; он становится мнительным, избегает других людей, делается подавленным, неспособным что-либо планировать. Сохранять свое суждение о человеке, даже если общественное мнение или какие-то непредвиденные факты ставят его под сомнение, держаться за свои убеждения, даже если они непопулярны, — все это требует веры и мужества. Веры и любви требует взгляд на трудности, неудачи и скорби как на вызов, который надлежит принять, — и такой взгляд делает нас сильнее в отличие от представления о бедах как о несправедливом наказании, которое не должно было бы выпасть на нашу долю.

> *...если человек боится, что его не любят, то очень может быть, что это он боится любить, сам того не сознавая.*

Проявления веры и мужества требуют даже мелочи повседневной жизни. Чтобы сделать первый шаг, нужно заметить, где и когда мы теряем веру, увидеть ложность объяснений, с помощью которых мы маскируем потерю веры, понять, где и когда мы ведем себя трусливо и чем это оправдываем. Нужно увидеть, как любое предательство веры ослабляет нас, а слабость ведет к новым предательствам, и возникает порочный круг. Так мы поймем, что *если человек боится, что его не любят, то очень может быть, что это он боится любить, сам того не сознавая*. Любить — значит, не требуя никаких гарантий, полностью отдаться своей любви в надежде на то, что наша любовь вызовет ответное чувство. Любовь — это акт веры, и кто мало верит, тот мало и любит. Можно ли больше рассказать о практике веры? Возможно, кто-то и мог бы; будь я поэтом или проповедником, я тоже мог бы попытаться. Но я не тот и не другой и не стану даже пытаться сказать больше о практике веры в любви, но уверен: любой, кто на самом деле захочет, может научиться вере, как ребенок учится ходить.

Любовь — это акт веры, и кто мало верит, тот мало и любит.

Еще одна установка, незаменимая для овладения искусством любить и до сих пор упоминавшаяся лишь вскользь, требует особого внимания, поскольку на ней зиждется практика любви. Я назову ее *активностью*. Выше уже говорилось, что быть активным — совсем не значит «что-то делать»; речь идет о внутренней активности, плодотворном проявлении жизненных сил человека. Любовь — это труд; если я люблю, я активно забочусь о любимом человеке, и не только о нем. Я был бы не способен этого

Любовь — это труд; если я люблю, я активно забочусь о любимом человеке, и не только о нем.

делать, будь я ленив, невнимателен, равнодушен и бездеятелен. Сон — единственное оправдание бездеятельности; состояние бодрствования таково, что лень в нем не должна иметь места. Парадоксальность жизни многих людей заключается в том, что они наполовину спят, когда бодрствуют, и наполовину бодрствуют, когда спят или хотят заснуть. Полностью бодрствовать — значит не испытывать и не вызывать скуки; не скучать самому и не надоедать другому — важнейшее условие любви. Быть активным в мыслях и чувствах, все видеть и слышать на протяжении всего дня, избегать внутренней лени, сохранять восприимчивость, не жадничать, не тратить попусту времени — все это незаменимые условия осуществления искусства любить. Иллюзия — полагать, будто человек может так устроить свою жизнь, что будет успешен в деле любви, будучи неудачником во всех прочих отношениях.

Парадоксальность жизни многих людей заключается в том, что они наполовину спят, когда бодрствуют, и наполовину бодрствуют, когда спят или хотят заснуть.

...не скучать самому и не надоедать другому — важнейшее условие любви.

Это невозможно. Способность любить требует энергии, бодрости, повышенного жизнелюбия, которые могут быть результатом только плодотворной и активной ориентации в остальных областях жизни. Если человек несостоятелен в них, он не будет состоятелен и в любви.

Иллюзия — полагать, будто человек может так устроить свою жизнь, что будет успешен в деле любви, будучи неудачником во всех прочих отношениях.

Овладение искусством любви не может сводиться к развитию черт характера и овладению теми установками, которые рассматривались в этой главе. Дело это неразрывно связано с существующими социальными отношениями. Если любить — значит иметь любовную установку в отношении всех, если любовь — черта характера, она обязательно должна присутствовать в отношениях не только с членами семьи и друзьями, но и со всеми, с кем человек вступает в контакт на работе, в бизнесе, в своей профессии. Не существует «разделения труда» между любовью к близким и любовью к незнакомцам. Напротив, условием существования первой является существование второй. Принять такой взгляд всерьез означает поистине радикально изменить существующие социальные отношения. Хотя огромное количество слов тратится на утверждение религиозного идеала любви к соседу, наши отношения на самом деле определяются в лучшем случае принципом честности. Честность требует, чтобы мы не прибегали к мошенничеству и обману при обмене товарами и услугами, но также и при обмене чувствами. «Я даю тебе столько же, сколько ты даешь мне» — это преобладающий этический принцип, превалирующий в капиталистическом обществе, как в материальной сфере, так и в любви. Можно даже сказать, что развитие этики честности является специфическим вкладом капитализма в этику.

Честность требует, чтобы мы не прибегали к мошенничеству и обману при обмене товарами и услугами, но также и при обмене чувствами.

Причины этого факта лежат в самой природе капитализма. В докапиталистических обществах обмен товарами определялся или прямой силой, или традициями, или личными связями любви и дружбы. При капитализме все определяет фактор рыночного обмена. Имеем ли мы дело с рынком товаров, рынком труда или рынком услуг, каждый обменивает то, что имеет на продажу, на то, что хочет приобрести, согласно условиям рынка, не прибегая к силе или обману.

Этику честности часто путают с этикой «золотого правила». Библейский принцип «как хотите, чтобы с вами поступали люди, так поступайте и вы с ними»* может быть истолкован как «будь честен при обмене с другими». Однако на самом деле изначально это наставление отсылало к другому библейскому требованию: «возлюби ближнего твоего, как самого себя». И эта иудео-христианская норма братской любви принципиально отличается от этики честности. Любить ближнего — значит чувствовать ответственность за него и единение с ним, в то время как этика честности не предполагает чувства ответственности, а напротив, отстраненность и обособленность; она требует уважать права соседа, но не любить его. Не случайно «золотое правило» сделалось сегодня наиболее популярным религиозным принципом; поскольку оно было перетолковано в терминах этики честности, то это религиозная заповедь, которую все у нас понимают и готовы исполнять. Однако практика любви должна начинаться с понимания различий между любовью и требованием честности.

---

* Мф. 7:12.

> ...этика честности не предполагает чувства ответственности... она требует уважать права соседа, но не любить его.

Здесь встает важный вопрос. Если вся наша экономическая и социальная организация основана на том, что каждый ищет собственную выгоду, если все руководствуются принципом эгоизма, ограниченного только этическим принципом честности, как может человек вести бизнес, действуя в рамках существующего ныне общества, и в то же время кого-то любить? Разве любовь не предполагает отказа от мирских стремлений, приобщения к жизни бедняков? Этот вопрос ставился христианскими монахами, которые давали на него радикальный ответ, и такими людьми, как Толстой, Альберт Швейцер и Симона Вейль. Существуют и те*, кто считает несовместимыми любовь и обычную повседневную жизнь в нашем обществе. Они приходят к выводу о том, что говорить сегодня о любви — значит лишь участвовать во всеобщем обмане; они утверждают, что лишь мученик или безумец способен любить в современном мире; следовательно, всякий разговор о любви есть очередная проповедь. Такая достаточно респектабельная точка зрения с легкостью приводит к оправда-

* См. статью Герберта Маркузе «Социальные предпосылки психоаналитического ревизионизма».

нию цинизма. В действительности она молчаливо разделяется средним человеком, который рассуждает про себя так: «Я хотел бы быть добрым христианином, но я стану голодать, если возьмусь за это всерьез». Подобный «радикализм» приводит к моральному нигилизму. Как «радикальные мыслители», так и средний человек — это лишенные любви автоматы, и единственное различие между ними в том, что последние этого не осознают, а первые знают отлично, но признают «исторической данностью».

Я убежден, что ответ на вопрос об абсолютной несовместимости любви и обычной «нормальной» жизни верен только в том, что несовместимы *принципы*, лежащие в основе капиталистического общества и любви. Однако современное общество, рассматриваемое конкретно, а не абстрактно, представляет собой многогранное явление. Продавец бесполезного товара, например, не может экономически функционировать без обмана, а квалифицированный рабочий, химик, врач — могут. Таким же образом фермер, рабочий, учитель и многие бизнесмены могут пытаться любить, продолжая прилежно трудиться в экономике. Даже если считать, что принцип капитализма несовместим с принципом любви, следует признать, что сам капитализм — структура комплексная, постоянно меняющаяся и до определенной степени терпимая к нонконформистам и проявлению личной свободы.

Я убежден, что ответ на вопрос об абсолютной несовместимости любви и обычной «нормальной» жизни верен только в том, что несовместимы *принципы*, лежащие в основе капиталистического общества и любви.

Говоря это, я не хочу, впрочем, предположить, что можно ожидать бесконечного изменения существующей социальной системы и одновременно надеяться на реализацию идеала братской любви. В современных условиях люди, способные любить, — скорее исключение; любовь в сегодняшнем западном обществе — маргинальный феномен. Так происходит не столько по причине того, что очень многие профессии не допускают существования установки на любовь, сколько потому, что ориентированное на производство и потребление товаров алчное общество таково, что только редкий нонконформист способен еще как-то от него уворачиваться. Тот, кто серьезно озабочен любовью как единственным рациональным ответом на

В современных условиях люди, способные любить, — скорее исключение; любовь в сегодняшнем западном обществе — маргинальный феномен.

проблему человеческого существования, должен, таким образом, прийти к заключению о необходимости важных и радикальных изменений в нашей социальной структуре, если мы хотим, чтобы любовь сделалась общественным, а не предельно индивидуалистическим и маргинальным явлением. На характер и направление таких изменений в рамках этой книги можно только указать*. Нашим обществом руководят управленческая бюрократия и профессиональные политики; люди стали жертвой массового внушения, их цель в жизни — производить и потреблять все больше и больше. Вся наша деятельность подчинена экономическим задачам, средства становятся целью; человек делается автоматом — хорошо накормленным, хорошо одетым, но лишенным всякого интереса к своим собственно человеческим качествам и потребностям. Если к человеку вернется способность любить, он будет возвращен на свое главенствующее место. Не он должен служить экономической машине, а она — ему. Человек должен получить возможность разделять жизненный опыт и труд, вместо того чтобы в лучшем случае разделять прибыль. Общество должно быть устроено так, чтобы социальная любящая природа человека не была отделена от его общественного существования, а оставалась при нем. Если все обстоит так, как я попытался здесь показать, то любовь — единственный разумный и

---

* В «Здоровом обществе» я постарался осветить эту проблему подробно.

> Если к человеку вернется способность любить, он будет возвращен на свое главенствующее место.

удовлетворительный ответ на проблему человеческого существования; любое общество, которое так или иначе мешает развитию любви, должно рано или поздно погибнуть по причине своих противоречий с базовыми потребностями человеческой природы. Говорить о любви — не значит что-то «проповедовать», а значит попросту говорить о самых и реальных и насущных нуждах любого человеческого существа. То, что эта потребность подавлена, не значит, что ее не существует. Анализировать природу любви — значит вскрывать причины ее отсутствия сегодня и критиковать социальные условия, которые в этом повинны. Вера в возможность любви как социального, а не исключительно индивидуального феномена — это рациональная вера, основанная на проникновении в глубинную сущность человека.

> ...любовь — единственный разумный и удовлетворительный ответ на проблему человеческого существования; любое общество, которое так или иначе мешает развитию любви, должно рано или поздно погибнуть...

Содержание

Научно-популярное издание

16+

Фромм Эрих
Искусство любить

Ответственный корректор И.Н. Мокина
Компьютерная верстка: Р.В. Рыдалин
Технический редактор Н.И. Духанина

Подписано в печать 24.12.2015. Формат 76x100 1/32.
Усл. печ. л. 9,8. Доп. тираж 10 000 экз. Заказ № 41.

Общероссийский классификатор продукции
ОК-005-93, том 2; 953000 — книги, брошюры

ООО «Издательство АСТ»
129085, г. Москва, Звездный бульвар, д. 21, строение 3, комната 5
Наш электронный адрес: **www.ast.ru**
E-mail: **astpub@aha.ru**
ВКонтакте: vk.com/ast_neoclassic

«Баспа Аста» деген ООО
129085, г. Мәскеу, жұлдызды гүлзар, д. 21, 3 құрылым, 5 бөлме
Біздің электрондық мекенжайымыз: www.ast.ru
E-mail: astpub@aha.ru

Қазақстан Республикасында дистрибьютор
және өнім бойынша арыз-талаптарды қабылдаушының
өкілі «РДЦ-Алматы» ЖШС, Алматы қ., Домбровский көш., 3«а», литер Б, офис 1.
Тел.: 8(727) 2 51 59 89,90,91,92
Факс: 8 (727) 251 58 12, вн. 107; E-mail: RDC-Almaty@eksmo.kz
Өнімнің жарамдылық мерзімі шектелмеген.

Өндірген мемлекет: Ресей
Сертификация қарастырылмаған

Отпечатано с готовых файлов заказчика
в АО «Первая Образцовая типография»,
филиал «УЛЬЯНОВСКИЙ ДОМ ПЕЧАТИ»
432980, г. Ульяновск, ул. Гончарова, 14